Les Éditions du Boréal
4447, rue Saint-Denis
Montréal (Québec) H2J 2L2
www.editionsboreal.qc.ca

SEXTANT

Maya Merrick

SEXTANT

roman

traduit de l'anglais (Canada)
par Lori Saint-Martin et Paul Gagné

Boréal

La traduction de cet ouvrage a été rendue possible grâce à une aide financière
du Conseil des Arts du Canada et du ministère du Patrimoine canadien
par l'entremise du Programme d'aide au développement de l'industrie de l'édition.

Les Éditions du Boréal sont inscrites au Programme d'aide aux entreprises
du livre et de l'édition spécialisée de la SODEC et bénéficient du Programme
de crédit d'impôt pour l'édition de livres du gouvernement du Québec.

Diffusion au Canada : Dimedia

L'édition originale de cet ouvrage a été publiée en 2005 par conundrum press
sous le titre *Sextant*.

Catalogage avant publication de Bibliothèque et Archives Canada

    Merrick, Maya, 1974-

    [Sextant. Français]

    Sextant

    Traduction de : Sextant.

    ISBN 978-2-7646-0527-1

    I. Saint-Martin, Lori. II. Gagné, Paul, 1961- . III. Titre. IV. Titre : Sextant. Français.

PS8626.E755S4914   2007   C813'.6   C2007-940312-3
PS9626.E755S4914   2007

No, I never had no heroes, no heroes had no time for me.

NEW BOMB TURKS

PREMIÈRE PARTIE

Je m'appelle Cassy Peerson et je suis une sirène. J'habite une Chevrolet 57 à l'intérieur en cuir blanc et à la peinture rouge cerise qui s'écaille. Ses ailerons se déploient encore, dans l'espoir, dirait-on, qu'un coup de vent la soulèvera, et elle a des trous de rouille dans lesquels des oiseaux bruns élèvent leurs petits. Pour travailler, je m'installe sur le siège du passager, où une planche me sert de pupitre, et je m'assois côté conducteur pour boire, regarder les vagues et écouter les jeunes s'initier à l'art de dégueuler avec grâce. Quant à la banquette arrière, nous savons tous, je crois, à quoi elle sert. Bon. Écoutez-moi bien. Je ne me répéterai pas.

— T'es réveillée, Cassy?

— Non.

Ça, c'est de Leppy, un de mes clochards préférés, un des vieux croûtons qui traînent du côté de la promenade.

— Pourquoi que tu me réponds, alors? Sors de là. J'ai que'que chose à te demander.

La portière de la Chevrolet s'ouvre en grinçant,

s'efforce tant bien que mal de préserver son intégrité structurelle. Des flocons de rouille tombent par terre, la chanson de l'eau m'enveloppe, douce et tranquille. Mes jambes apparaissent, brunes et fines. Les coudes appuyés sur les genoux, j'allume une cigarette. Le jour commence à tomber, et le temps chaud et sec cède la place au parfum iodé, lourd et poisseux qui monte de la mer.

— Qu'est-ce que tu veux?

De Leppy danse sur son unique jambe en brandissant sa béquille d'occasion, que rembourre sous son bras un vieux t-shirt roulé en boule. Dans les trois doigts de sa main droite, il tient une flasque d'alcool bon marché. À force de la secouer, il sème des gouttelettes sur l'asphalte.

— Tu m'connais depuis longtemps, pas vrai, *man*? J'ai déjà volé quelqu'un?

J'essaie de ne pas rire. Depuis dix ans que je le connais, cet homme n'a pas travaillé une seule journée.

— Tu gagnes ta vie grâce au vol, Leppy. Cet alcool, tu l'as acheté?

— Me parle pas sur ce ton, *man*! Des gens, j'voulais dire. J'vole dans les magasins, d'accord, mais j'vole jamais les gens!

De Leppy a une vision bien à lui de la société. À ses yeux, les commerces n'ont rien à voir avec les gens. Ce sont des entités autonomes, sans employés et, inexplicablement, sans rien d'humain. Il avale une gorgée, s'essuie la bouche du dos de la main.

— T'en veux?

— Non, merci.

— Une bonne femme a appelé la police. Elle a dit que j'lui avais piqué son sac! Je leur ai demandé : qu'est-ce que vous voulez que j'fasse d'un sac aussi moche? J'suis pas une bonne femme. Ils m'ont arrêté quand même! Ils m'ont obligé à enlever mes vêtements. Moi, j'ai voulu savoir pourquoi. Ils m'ont fouillé, ils m'ont regardé dans le cul. Holà, j'ai dit. J'sais pas quel genre d'idée vous vous faites, mais j'ai pas de sac de bonne femme dans le cul! Ils m'ont gardé toute la nuit, j'ai entendu un vieux rêver de sa douce. T'as déjà entendu jouir un vieux, *man*? Quand j'pense aux cauchemars qui m'attendent… Merde.

Il prend une autre gorgée pour marquer le coup.

— Je sais que t'as pas pris le sac de cette femme. Ça va comme ça, Leppy? Ça répond à ta question?

— Non. Ce que je voulais te demander, c'est combien je peux avoir pour ça?

Il brandit une arme, un revolver de policier, un vrai bijou. Apparemment, Leppy range les représentants de l'ordre dans la même catégorie que les commerces.

Il disparaît et je retourne dans la voiture. Je n'ai pas à chercher bien loin pour mettre la main sur une bouteille. Et voilà. L'alcool, bouée de sauvetage des miens. C'est de famille. Au moins, je ne le vole pas. Il me semble, en tout cas. La plupart du temps, j'ai du mal à me souvenir.

Assise sur le toit de mon auto, je sirote une bière en fumant des cigarettes à la chaîne. Un morveux veut savoir ce que je fais. Je lui réponds : pas grand-chose. Il veut savoir pourquoi je bois si tôt le matin. Parce que, ai-je envie de lui dire. Il demande s'il peut en avoir un peu. Je dis pas question. Peut-être un jus ? Autre chose ? Non. T'aurais pas quelque chose à manger ? Non, je dis. C'est vrai. Je descends de la voiture et j'emmène le petit au resto du coin. Nous nous assoyons près de la fenêtre et je lui achète un milk-shake avec un grilled cheese parce que c'est ce qu'il veut. Je m'offre un greyhound. Puis un autre. Il se moque de moi, dit qu'il veut m'emmener à l'école pour me montrer à sa classe. Il dit qu'il s'appelle Joseph. Il dit qu'il doit y aller, qu'il va être en retard. Il dit merci et au revoir, il dit je te revaudrai ça, puis il me fait cadeau d'un modèle réduit bon marché, un dragster jaune sur lequel on lit les mots *70 mph fast*. Puis, avant de détaler, il m'enseigne une poignée de main bizarre.

Après un autre verre et quelques-uns encore, je me dirige lentement vers mon travail, même si c'est mon jour de congé. Je traverse le boardwalk, je marche sur le sable parce que, par une soirée chaude et douce comme celle-ci, on a envie de sortir et de toucher la peau légèrement salée de ses semblables ou encore de laisser ses enfants engueuler les mouettes dans l'espoir qu'ils se barreront pour aller rejoindre les oiseaux ou encore les poissons, qu'ils nous foutront la paix. Mais non, même pas une seconde. Par une soirée comme celle-ci, la promenade n'est pas vraiment un endroit où se promener, du moins pas dans le sens de se rendre quelque part. Tout le monde est là, y compris des adolescents patauds, un bras couvert de grosses perles en plastique et l'autre de cuir hérissé de clous, affublés d'un pantalon assez grand pour deux, parfois trois, selon la maigreur du propriétaire. On voit aussi de superbes jeunes filles à la peau chocolat, le nombril à l'air sous leur haut en plastique serré, le mini-short coincé dans la raie du cul, leurs petites fesses dépassant en dessous. Il y a des mamans, certaines sexy, d'autres plutôt fripées, qui poussent devant elles des petits occupés à crier à tue-tête, des garçons aux bras noueux et hâlés, vêtus d'un maillot de basket-ball, se laissant traîner par un chien plus gros que leur petite amie, des filles sans garçon zyeutant des garçons sans fille, des garçons avec des garçons, des filles avec des filles et des jeunes couples en tous genres. Les garçons avec des garçons ont des petits chiens toilettés avec un soin jaloux, je le jure. Et tous ces gens se font de l'œil parce qu'ils ont tous la même idée en tête et qu'il y a d'innombrables manières d'arriver à leurs fins. Il y en a qui acceptent de l'argent, même si, en général, ceux-là se tiennent plutôt près du quai et, par la force des choses, se montrent discrets.

À cette foire aux phéromones, je préfère le rivage, où je peux marcher et marcher encore, sans vraiment voir personne.

J'avance lentement en buvant au goulot de la bouteille que j'ai emportée avec moi. Pour une raison que j'ignore, je ne suis pas d'humeur à me rendre au bar. Je finis par y arriver quand même et je monte.

En principe, le bar compte trois étages. Il y en a plein, des immeubles pareils, perdus aux quatre coins de la ville, mais, en l'occurrence, il s'agit de cette vieille baraque qui craque, la brique couleur brique et le fer peint en noir sur bleu sur vert sur rouge sur rose et les couches successives pèlent, mais ça plaît à Eddy, qui dit que le bar a l'air d'un trou à rats et que, pour cette raison, on nous laissera tranquilles. C'est vrai, la plupart du temps, sauf que, bien entendu, il arrive parfois qu'un trou à rats rempli à craquer n'attire que des rats.

À l'étage, il y a trois portes : une pour les clients, une pour le personnel et une pour moi.

Je me demande comment les femmes de chambre et les majordomes qui empruntaient cet escalier, à l'époque où l'immeuble avait une fonction résidentielle, faisaient pour y caser quelque chose de plus large que leur cul. En tout cas. Je frappe à la porte d'Owen. Comme il n'y a pas de réponse, j'entre.

Quand nous nous sommes rencontrés, il y a belle lurette, Owen était en costume, et j'étais en bas en train de boire. Puis le club a changé de main, le décor a changé et presque tout a changé, sauf Owen. Un des proprios, qui avait un faible pour lui, lui a cédé l'infime mansarde. Tant et aussi longtemps qu'il travaillerait. Après avoir renoncé aux planches, Owen a donc continué à coudre. Quant à moi, j'ai quitté la salle où je buvais au profit d'un aquarium qui fuit, niché derrière le comptoir. Je travaille le soir, vêtue d'un costume qu'Owen a fabriqué de ses mains, à partir d'une multitude de minuscules bouts de tissu brillant qui, ensemble, forment quelque chose de presque surnaturel. Owen me tanne toujours à ce sujet, se demande à voix haute si j'ai traversé l'Atlantique à la nage ou quoi : chaque semaine ou presque, on dirait qu'un bout du costume fout le camp.

Devant sa planche à repasser, il travaille en regardant les soaps, des reprises de l'après-midi. Il porte une robe du soir noire de la fin des années cinquante, dont le corsage ouvert pend autour de ses hanches étroites. Pas de faux seins ni de perruque pour l'instant. Le visage seulement à moitié maquillé.

— Chérie ! couine-t-il comme seules les folles et les adolescentes en ont le secret.

Il court vers moi à petits pas titubants, la démarche entravée par le nuage de soie froufroutante dans lequel il est enveloppé. Il met un peu de temps à parvenir à destination. Il me plaque contre sa poitrine lisse, et ses cils longs et scintillants me grattent le cou. Il sourit de toutes ses dents.

— Entre ! Assieds-toi ! J'en ai pour une minute.

Pour me faire une place, il dépose sur une chaise une pile de boas et de dentelles couleur bonbon, puis, en se penchant, éteint la télévision.

— Tu peux la laisser allumée, mon chou, dis-je.

Owen aime les émissions crétines de l'après-midi, affirme sans la moindre trace d'ironie qu'elles lui rappellent son papa.

— Bah, c'est juste quelqu'un qui couche avec le

17

demi-frère qu'il a perdu de vue depuis longtemps, tu vois le genre. Meurtres, incestes et comas. Tu parles!

Il est de retour derrière la planche à repasser, où il inspecte un à un des vêtements tirés d'une pile, aussi attentif qu'une nouvelle mère penchée sur son bébé.

— Qu'est-ce que je peux faire pour toi, chérie? demande-t-il en rangeant avec soin un chic pantalon marine.

Soucieux de préserver le pli, il le suspend à un cintre à l'ancienne, en bois et en laiton.

Je sors un ballot de mon sac, écarte les plis de coton noir troué et lui fais voir le revolver. Il le prend sans rechigner, déclare qu'il s'agit d'une merveille.

Owen accepte toutes les armes à feu, sans exception. Entre ses mains, un revolver se transforme. Il a même l'air, j'ignore comment, innocent. Sinon, dans sa mansarde tout en miroirs appuyés sur du vide, il devient une œuvre d'art, un élément du décor. Comme Owen lui-même le dit :

— Ma chère, personne ne soupçonnerait un vieil artiste un peu pédé sur les bords de la moitié des conneries que je fais.

Il me suggère de revenir le voir dans deux ou trois heures. Il a encore des trucs à régler. Après, il sera tout à moi.

Donc.

Me voici dehors, le cul par terre.

Sensation qui ne m'est pas étrangère, ici, maintenant. Cette fois, ça va. Parce que je sais que je peux revenir. Si je suis sûre d'une chose au sujet d'Owen, c'est que je peux toujours revenir. Pour moi, c'est une perspective toute nouvelle que je prise énormément, une certitude qui me donne à penser que tout n'est peut-être pas de la merde intégrale après tout. Vous comprenez?

À une certaine époque, mon cul était couvert de bleus et de bosses à cause des atterrissages ratés dont je me faisais une spécialité. Il porte aujourd'hui une sorte de carte routière où on peut suivre mon parcours, mesurer la violence des culbutes que j'ai effectuées avant de toucher terre et de reprendre ma route en titubant.

C'est avec maman que j'ai connu mes premières dégringolades.

Parce que, au commencement, il y avait juste moi, maman et Pony. Une vieille étable géante dressée au milieu d'un grand terrain, de vastes champs autrefois productifs, autrefois parcourus de blé aux ondulations chantantes. Du bétail, de magnifiques vieux chevaux, des oiseaux jaunes tout mignons, et nous. Puis il y a eu la sécheresse. Elle a duré si longtemps que nous avons fini par plier bagage. Dis adieu à l'étable, dis adieu à ton chez-toi, Cassy. Pareilles à des travailleurs migrants sortis tout droit d'un roman de Steinbeck, nous avons roulé à bord de notre vieille camionnette bleue, remplie de lits et de berceuses empilés.

L'étable penchait d'un côté, tel un ivrogne, et sa peinture écaillée laissait voir des centaines de nuances de rouge : sang séché, pomme, cerise. À l'intérieur, tout en haut, nous nous partagions le fenil, moi du côté droit, maman du côté gauche. Le toit était défoncé, et quand il pleuvait, les rares fois où il pleuvait enfin, tout était détrempé. Y compris le lit long et étroit et moi. Éveillée, je voyais les étoiles se déployer en maigres constellations.

J'étais seule, et c'était la nuit, une nuit bleu foncé, éclairée par une demi-lune.

Il faisait toujours bon dans l'étable. Le souffle des vaches mortes et disparues enveloppait mon petit corps maigrichon, me tenait au chaud. Je les entendais. La respiration des vaches n'est ni discrète ni facile à confondre avec une autre. Si j'étais descendue, j'aurais eu du mal à trouver un endroit qui ne soit pas occupé par un flanc fumant, une épaule haute et douce, un grand œil moite.

Les vaches m'aimaient parce que j'étais petite. Toutes, elles avaient vite perdu leurs petits.

Dans l'étable, il y avait beaucoup de taches de sang. Les vaches m'ont dit tout ce que j'avais besoin de savoir à ce sujet.

Maman ne m'a pas prévenue. Un jour, elle a fait nos bagages. Elle avait envie d'autre chose, de nouveauté. En m'en parlant, elle avait l'habitude de rire.

— Cassy, disait-elle, ici, c'est la merde. D'ailleurs, il n'y a personne à des kilomètres à la ronde. Que moi et ma fille convaincue de pouvoir parler aux morts. Aux vaches mortes, par-dessus le marché. Cassy, Cassy, disait-elle en ébouriffant mes cheveux comme les adultes en ont la manie parce qu'ils croient que c'est mignon, ça ira, tu verras. Il y aura des tas d'enfants, des tas d'autres enfants avec qui jouer, tu verras.

Sur ce point, elle a eu raison, il faut bien que je l'admette. Il y avait toujours des tas d'enfants, des tas d'enfants avec qui jouer.

Dans la cour de motels, j'ai joué aux quatre coins avec des jumeaux bruns et efflanqués aux genoux cagneux portant les noms des alcools de prédilection de leur mère, avec le fils de la concierge, garçon dégingandé trop vieux pour les petites voitures qu'il serrait tendrement contre lui, comme des animaux de compagnie, et qu'il sortait de sa poche d'un air recueilli, ou encore avec les enfants de parents en vacances. Des millions d'enfants. Nous avons passé de longues nuits sombres au bord de piscines à l'eau trop chaude, où des algues poussaient en silence dans l'obscurité naissante.

Puis nous nous mettions en route. La route encore. Toujours la route.

Une fois, je lui ai demandé où nous allions. Elle a haussé les sourcils pour appliquer sur ses cils une troisième couche de mascara, et c'est son reflet qui m'a parlé. J'étais derrière elle sur le sol éraflé de la salle de bains.

— On s'en va, Cassy, c'est tout, m'a-t-elle répondu, les yeux soudain graves.

Elle m'a dévisagée durement, sans se retourner. Puis elle a fermé les yeux, mais sa bouche aux coins affaissés remuait.

— On s'en va, c'est tout.

Plus tard, je ne sais pas pourquoi, j'ai été la seule à devoir m'en aller. Mais c'était plus tard, beaucoup plus tard.

— Tu vas commencer l'école!

Elle m'a souri au-dessus des gaufres qu'elle m'avait achetées pour marquer l'occasion. Les gaufres de la culpabilité.

J'ai trempé ma fourchette dans le sirop. Puis je l'ai fait tourner au bord de la grande assiette blanche.

— Pourquoi?

— Parce que, a-t-elle répondu en tendant le bras dans l'intention de me taper sur le poignet, comme elle le faisait toujours quand je jouais avec ma nourriture.

Cette fois-là, elle s'est retenue.

— Parce que, Cassy, tu es une grande fille et que les grandes filles vont à l'école.

J'ai planté ma fourchette au milieu de la gaufre. Elle est restée en équilibre précaire pendant un moment avant de tomber entre ma mère et moi.

— Mais pourquoi?

Long soupir.

— Parce que j'ai trouvé du travail en ville, que nous allons rester ici pendant un certain temps et que… eh bien… je ne peux pas t'avoir toujours à l'œil. De toute façon, mon ange, la plupart des enfants de ton âge ont commencé l'école il y a deux ou trois ans.

J'ai repris la fourchette, puis j'ai léché le sirop. Ensuite, je l'ai remise là où elle était au départ, sur la serviette en papier pliée.

— Génial. Comme ça, je suis déjà en retard.

— Ça ira, a-t-elle dit en échangeant sa fourchette contre la mienne. Mange, maintenant.

Plus tard, elle a pleuré au téléphone. Pendant un moment, il n'y a eu que le vague sifflement des câbles, le léger bourdonnement d'une autre conversation. Elle m'a tenu des propos à peine audibles. Il y avait un fossé entre nous, a-t-elle dit, un fossé qu'elle ne parvenait pas à s'expliquer. Puis elle m'a raccroché au nez.

— Où tu vas comme ça, la siphonnée ?

J'ai poursuivi mon chemin, mon cahier gris acheté en solde serré contre la poitrine.

— Dis donc !

L'un d'eux s'est penché sur moi, a tendu la main pour m'intercepter.

— Tu t'arrêtes pas quand on te parle ?

J'ai repoussé la main, continué.

— On a entendu parler de toi. Il paraît que t'as la tête fêlée.

Un autre s'est penché sur moi de toute sa hauteur, ses grands bras ouverts au cas où j'essaierais de m'enfuir.

Je me suis arrêtée, puis j'ai levé les yeux.

— Je sais pas de quoi vous parlez. C'est peut-être vous qui avez la tête fêlée, les gars.

Puis j'ai esquivé les bras tendus et j'ai pris mes jambes à mon cou.

Ce n'est pas la dernière chose qu'elle m'ait dite. Mais pendant longtemps, très longtemps, j'aurais bien aimé que ce soit la dernière.

J'ai poussé la porte à la vitre plombée du minable immeuble sans ascenseur où nous avions emménagé, maman et moi, au quatrième étage, et la fraîcheur des carreaux oubliés m'a accueillie. Odeur de moisissure et de crottes de souris séchées. Une ombre informe se profilait devant moi, bloquant les marches.

— L'ascenseur est cassé, a dit la silhouette.

— Il n'y a pas d'ascenseur, ai-je répliqué.

Je serrais de nouveau mon cahier contre moi, comme si c'était un bouclier, les pieds écartés.

La silhouette a eu un geste, une sorte de haussement d'épaules.

— Bon, si tu le dis.

Puis la silhouette a poursuivi :

— Les petits merdeux t'en font baver ?

J'ai roulé les yeux.

— Comme si c'était ton problème.

Silence du côté de la silhouette.

— Je m'appelle Rolly.

— Mes félicitations, ai-je répliqué du tac au tac. Tu veux bien t'ôter de là, s'il te plaît ?

— Écoute, a dit le garçon en s'aplatissant contre le mur pour me laisser passer si j'en avais envie, j'ai… euh… une petite bande. Si tu venais… ça serait bien.

Je l'ai dévisagé en plissant les yeux.

— Tu veux que je vienne vous voir, toi et ta bande ? Qu'est-ce que ça veut dire, merde ?

La silhouette a soupiré.

— Bof, sais pas. Nous nous retrouvons au bout de la ruelle vers dix heures.

La silhouette m'a effleurée au passage. Elle sentait la graisse, le métal et autre chose d'indéfinissable, dont je ne conservais qu'un vague souvenir. C'était une odeur tiède et boisée qui m'a donné envie de m'allonger et de la respirer jusqu'à la fin des temps.

— Bof, sais pas, ai-je dit en m'engageant dans l'escalier.

J'ai grimpé les marches, sans me retourner.

J'ai essayé de téléphoner à ma mère toute la journée, à l'aide des mêmes pièces de monnaie. Pas de réponse, pas de réponse, pas de réponse. Alors j'ai marché jusqu'au bord de l'eau. Je me suis assise sur un billot et j'ai regardé le coucher de soleil. J'ai fait mes devoirs. Quand la nuit est tombée, j'ai remonté la rue pour téléphoner. Un seul coup de fil. J'ai téléphoné à maman, une dernière fois. On a décroché sans rien dire. Quand j'ai dit bonsoir, on a raccroché.

J'étais dehors, le cul par terre.

J'ai deux ou trois heures à tuer avant de retourner au travail. Pas pour travailler, pas ce soir. Seulement pour passer un moment avec Owen. Si le cœur nous en dit, ce qui est souvent le cas quand nous sommes ensemble, nous irons quelque part. Entre-temps, je vais donc faire des emplettes pour de Leppy. Je lui achète deux bouteilles de Jack Daniel's, une cartouche de cigarettes, un pantalon et une boîte d'épingles de nourrice. Je lui achète aussi des magazines cochons — *Shaved, Barely Legal* et *Tight Holes* — et, parce qu'elles sont sur sa liste, des capotes, même si je ne le crois pas capable de s'en servir. Il les gonflera peut-être comme des ballons, pour un anniversaire. Va savoir. Pour le revolver, on est quittes. Je lui achète autre chose, un cadeau, sans raison.

— Je vous l'emballe? demande la jeune fille derrière le comptoir.

J'imagine Leppy en équilibre sur une jambe, aux prises avec le ruban argenté, le paquet glissant de ses mains ravagées, me demandant de l'ouvrir pour lui.

— Non, merci. Ça ira comme ça.

Je suis descendue sur la plage et j'ai plongé mes pieds dans l'eau. J'ai fait un pas, puis un autre et encore un autre, c'était froid. Quand l'eau m'est arrivée aux seins, j'avais les bouts déjà durs à fendre l'air, j'ai fait un pas, puis un autre, et j'en ai eu jusqu'au menton. J'ai immergé ma tête et j'ai tendu l'oreille et je suis restée là, je suis restée là, dans l'eau. Il y a des jours où j'ai l'impression d'y être encore, de ne jamais avoir bougé.

Après être allée retrouver Rolly, le premier soir, je suis rentrée tard, et j'ai fait un rêve, un rêve familier. Il y avait un petit garçon, la tête sous une couche de glace. Seulement, il n'était pas gelé et je voyais avec une grande netteté les poils blonds de son visage, ses petits cils tout pâles et sa peau blanche blanche blanche virer au bleu, sa bouche s'ouvrir et se refermer lentement sur du vide, car il cherchait de l'air pour continuer à vivre, emprisonné là-dessous, les yeux gris-bleu exorbités et malades, jusqu'à ce qu'il me voie en train de l'observer. Dans le rêve, je ne savais pas quoi faire quand il me prenait en flagrant délit, alors je le saluais de la main.

Dans le rêve, il criait et il a réveillé maman parce que le cri qu'il a poussé était le mien.

Ce n'est que plus tard que j'ai compris pourquoi il ne voulait pas me voir là.

Quand je lui ai raconté, maman m'a regardée d'un drôle d'air, puis elle s'est penchée, et ses cheveux ont fait comme un rideau autour de nous.

Sous l'eau, tout a un sens.

Un pli a creusé son front. Elle a posé sa main fraîche sur ma tête.

Sous l'eau, j'ai presque l'impression de pouvoir lui parler.

Elle m'a serrée contre elle, a posé ses lèvres sèches sur mon front.

Comme dans mon souvenir. Enfin, presque.

Ma mémoire me joue parfois des tours, ce qui veut dire quelque chose pour certains, même si, pour moi, ce n'est pas forcément le cas.

Je rentre donc chez moi en passant devant les magasins d'alcool, ceux qui restent ouverts très tard le soir — il y a une seule lumière au fond, comme quand ils sont fermés, les fenêtres sont grillagées, les proprios donnent un coup de balai ou font la caisse. Et un petit vieux sort, cherche la clé dans la poche de son pantalon brun usé, finit par la sortir de sous son gros ventre rond et dur, on dirait un faux ventre en latex, et il salue de la main la propriétaire de la boutique voisine, une femme qui a de grosses boucles d'oreilles dorées, même si elles ne sont sûrement pas en or, et porte un pantalon serré extensible rose bonbon par exemple, elle a des cheveux bouffants et des ongles longs, elle sort de la boutique à côté qui vend de faux ongles, et ils se saluent, puis il verrouille sa petite boutique et elle verrouille sa petite boutique, puis il remet la clé dans sa poche et il rentre chez lui. Mais la boutique reste ouverte toute la nuit, exploitée par des busboys et des plongeurs pendant leur temps libre. En fait, c'est à ces heures-là que la boutique fait le gros de ses affaires, à la lueur d'une ampoule de quarante watts qui, au fond, chancelle dans une cage en donnant l'impression de planer au-dessus de la ruelle crasseuse, sombre et humide où échoue invariablement l'élite des paumés. Dans un premier temps, il y a les jeunes qui ont encore un couvre-feu à respecter mais qui reçoivent de l'argent de poche et qui achètent beaucoup plus d'alcool qu'ils ne peuvent en boire sans se rendre malades, des sacs en papier kraft transitant par une petite ouverture sous l'ampoule ballottante. Dieu seul sait ce qu'ils renferment. Ce qu'on a en trop — de la liqueur de malt, de la vodka albertaine ou même, quand il y a eu erreur dans la commande, de ces horribles machins sucrés que boivent les filles qui ne boivent pas lorsque, par accident, elles se trouvent dans un lieu où il faut boire. Viennent ensuite les ivrognes invétérés, qui empestent l'alcool et qui, le matin, avalent une bouteille de vodka avant de pouvoir ouvrir les yeux, de vieux types dont les crachats, je vous le jure, j'en ai été témoin, font peler la peinture. Toute la nuit, c'est un va-et-vient incessant mais imprévisible. En troisième lieu, il y a les gens ordinaires qui viennent de se rendre compte de l'heure qu'il est et qui ont soudain compris que leur partie de poker, de bridge ou de football ne se passera bien que s'ils disposent d'une provision suffisante d'alcool. Quatrièmement, il y a les épaves en devenir, les plus jeunes, celles qui n'ont déjà pas les moyens de fréquenter les bars. Cinquièmement, il y a tous les autres, après la fermeture des bars.

On trouve des tas d'autres choses dans ces ruelles, à proximité de l'ampoule branlante, mais pas juste sous elle. C'est un peu comme un marché. Bref, la libre entreprise à son meilleur, mais vous savez, vous qui fréquentez l'endroit, que la liberté n'a rien à voir là-dedans.

Je ne m'arrête pas, je n'ai besoin de rien et d'ailleurs les bars sont encore ouverts. Je reviendrai peut-être plus tard. Qui sait ? Je ne m'arrête même pas pour saluer les clients qui attendent dans la ruelle avec l'air de ne pas faire la queue tout en cherchant à conserver leur place. Il faut éviter de saluer des gens qui font l'impossible pour passer inaperçus. À moins, bien entendu, que vous ne soyez d'humeur à faire voler quelques illusions en éclats.

Je continue donc de marcher, je monte chez Owen. Il est encore habillé à moitié, mais il a terminé son maquillage. Assis devant sa machine à coudre, il est en plein travail.

Il s'écrie chérie et me dit d'entrer, puis il chasse Frederick, un gros matou jaune issu des ruelles de la petite ville perdue où Owen est né. Il m'en a dit le nom un jour, mais j'ai oublié.

Rien ne me surprenait, le rejet encore moins que le reste. Même qu'avec les cals au cul que je me suis faits à force d'en prendre, je ne sentais plus rien. Je me hérissais à la manière d'un chat qui vous met au défi de le frapper encore parce que ça ne fait plus mal. Comme presque tout ce qu'il y a de désagréable, cela rôdait dans les coins depuis une éternité, en attendant que quelque chose se produise, comme ce genre de situation en a l'habitude, parfois au su de l'intéressé et avec son consentement, ou presque, et parfois, c'est du moins ce qu'on se plaît à croire, sans crier gare.

Il était tard et je ne dormais pas, comme d'habitude, mon horloge interne en décalage constant par rapport au reste du monde, et déjà mon jeune corps, étrange et endolori, se traînait pendant les heures du jour au cours desquelles tout le monde semblait croire qu'il était parfaitement légitime de courir à gauche et à droite et de s'affairer comme un malade. En classe, dans l'enfer des matins, j'avais les yeux cerclés de bleu et de jaune, la tête cotonneuse et, disons, surexcitée, même dans les décombres du système scolaire public. Le bruit blanc tenait les autres en échec. Je suis donc allée à la cuisine. Par les fenêtres ouvertes et nues, le lampadaire projetait une lueur qui rappelait vaguement celle de la lune, plongeant dans une pénombre argentée notre table d'occasion, nos chaises désassorties, notre vaisselle ébréchée et nos verres vides laissés sur la table après le repas parce qu'ils avaient commencé à se chamailler et que j'avais filé sans demander mon reste. De toute évidence, personne n'avait encore trouvé le temps de faire la vaisselle. Dans cette lumière de poisson d'argent, ces objets semblaient exotiques, jolis et excitants, même si, à la lumière du jour, on voyait clairement que ce n'était que du plastique et de l'aluminium, on voyait clairement que ce n'était que de la merde, les déchets de quelqu'un d'autre, des trucs indésirables, des ordures, comme presque tout ici. À cause de cette illusion de beauté, de l'aura de mystère qui régnait dans la pièce, qui me semblait tout d'un coup différente, j'ai été pour ainsi dire distraite en marchant à petits pas feutrés vers le frigo. J'ai ouvert la porte, la petite lumière s'est allumée et j'ai distingué une silhouette affalée sur la table. Je l'avais reconnue mais j'ai fait comme si de rien n'était. Je franchissais la porte de la cuisine quand j'ai entendu une voix à peine audible :

— Cassy.

Je me suis retournée. Dans la pénombre couleur d'encre, je discernais son profil. Il réclamait mon attention sans me regarder. Je me suis retournée de nouveau, dans l'intention de sortir de la pièce.

— Arrête, Cassy.

J'ai obéi. Mais je ne lui ai pas fait face.

— Regarde ton père quand il te parle, a dit une voix.

Je ne me suis pas retournée.

— T'es pas mon putain de père, Henry, ai-je sifflé entre mes dents.

Il y a eu un moment de silence. Puis :

— Qu'est-ce que t'as dit ?

J'ai fait un pas vers la porte.

— Qu'est-ce que t'as dit, Cassy ? Reviens ici et réponds-moi tout de suite.

Un autre.

— Regarde-moi quand je te parle, Cassy.

Et encore un autre.

— REGARDE-MOI QUAND JE TE PARLE, MERDE !

Son poing s'est abattu sur la table, et les verres se sont fracassés sur le sol. Je ne me suis toujours pas retournée. Il a renversé la table d'un coup, et il y a eu un bruit terrible. Je tenais le verre si fort que mes jointures me faisaient mal. J'ai senti sa main sur mon épaule. Il essayait de me retourner, mais je me suis rebiffée en me laissant couler comme de l'eau pour éviter de le regarder.

— Regarde-moi, petite salope de merde, je veux juste te parler, bordel, tourne-toi.

Il a fini par me retourner, lui, et j'ai tourbillonné

comme un bouchon, une bouteille, une toupie, tourne et tourne et tourne et tourne en rond, ça n'en finissait pas de tourner, le verre que je tenais à la main s'est fracassé sur son visage et il a saigné partout sur moi et…

Preuve que, à la maison, tout n'allait peut-être pas comme sur des roulettes.

Mais c'est venu plus tard. Avant, il y avait eu d'autres choses, des choses différentes. Avant.

— Tu veux bien me rappeler pourquoi il faut que je me tape encore une rencontre avec ton professeur, Cassy? m'a demandé ma mère.

— Sais pas, ai-je marmonné en palpant le bleu et la croûte au bras que je cachais depuis la bagarre.

— C'est la troisième fois cette année, Cassy. J'ai mieux à faire de mes soirées, tu sais.

Nous vivions encore seules toutes les deux, maman et moi. Dans le trou à quatre pièces. Nous n'avions pas les moyens de nous offrir mieux. Elle se faisait congédier sans arrêt et moi je me faisais expulser sans arrêt. L'hérédité, peut-être.

— Ils me détestent, ai-je dit simplement.

— Qu'est-ce que tu racontes? C'est impossible. Ils ne te connaissent pas, c'est tout, a-t-elle dit en passant délicatement sa main dans mes cheveux.

— Ils ne veulent pas me connaître.

Pause. Je fixais une tache de graisse sur le mur, à côté de la cuisinière.

— Ils m'appellent de toutes sortes de noms.

Elle a repoussé une mèche derrière mon oreille, m'a caressé la joue.

— Comme quoi?

Je me suis mordu la lèvre. La tache de graisse commençait à s'embuer.

— Allez, Cassy, m'a-t-elle encouragée en me serrant contre elle, sa main sur le bas de mon dos. Comment veux-tu que je t'aide si tu ne me dis rien?

J'ai pris mon visage entre mes mains. Elle a touché mes bras, doucement.

— Qu'est-ce que tu as là, Cassy, mon ange?

Et ainsi de suite. L'école, cependant, n'était rien à côté des besoins beaucoup plus pressants que j'éprouvais: me doper, m'encanailler, me sortir du pétrin, me perdre, me retrouver, m'enfuir.

— Tu vois ces deux-là, à côté de l'animalerie?

J'ai fait oui de la tête.

— Choisis-en un. Attends qu'elles soient entrées, puis BANG! Tu le prends. D'accord?

Deux filles de la même année que moi léchaient un cornet de crème glacée. À califourchon sur leur selle banane rose de petites filles mignonnes, chacune accrochée à son guidon assez fort pour rester debout. Elles tremblaient un peu, mais elles ne quittaient pas leurs montures. Une blonde au ventre rond et une fille aux cheveux noirs aussi lustrés que le pelage d'une loutre. Leurs cornets terminés, elles ont déposé leurs vélos en tas et sont entrées dans la boutique en courant. Des caniches en solde. Drôle d'idée de solder des chiens.

— Celui-là, ai-je murmuré avant de me mettre à courir.

En passant devant la vitrine de la boutique, je me suis presque agenouillée, puis j'ai agrippé le guidon du vélo de la blonde et je l'ai tiré jusque dans la ruelle en me faisant la plus petite possible. Puis je suis montée dessus et j'ai foncé vers le parc.

Maman travaillait. J'étais souvent livrée à moi-même. Ce qui ne veut pas dire que je me sentais seule. Ce qui ne veut pas dire non plus qu'il ne m'arrivait pas de me sentir seule.

Ce qu'il y a, quand on est petit et qu'on hante la grande ville de jour, c'est qu'on fait partie de ceux qui marchent sans être vus, comme les vieux et les clochardes et les durs à cuir imbibés d'alcool qui engueulent l'air devant eux. À l'époque, je me disais que c'était parce que les gens qui marchent dans la rue n'y vivent pas, ne font que l'emprunter pour aller et venir, et c'est pour cette raison qu'ils n'ont aucune idée des mondes qui existent, là, juste sous leurs yeux. Ce qu'ils traversent en allant du travail au resto au travail à la maison au travail au resto, ce qui sert de décor à leur vie, c'est en réalité un affreux bordel, un salon géant, un soap, une communauté. Et le type bizarre qui vous suit en insistant pour être votre ami a beau vous être étranger, quelqu'un d'autre le connaît et même des tas de gens le connaissent et il est effectivement leur ami. Parfois, on ne voit pas ce qu'on ne nous a pas appris à voir. Il s'agit non pas de fermer les yeux, mais bien de ne pas voir, tout simplement. Prenez par exemple l'amas de vieille laine et de bouts de cuir gris-brun d'où sort une boîte de conserve. La plupart des gens ne remarquent même pas qu'il y a un type là-dessous, fidèle au poste tous les jours, et qu'il tend une boîte de conserve vide, toute la journée et toute la soirée, sauf que personne ne le voit, ce qui ne l'empêche pas de brandir sa boîte, peut-être parce que c'est ce qui le retient en ce lieu. Il y a même des gens, des grosses têtes, qui font des études à ce sujet, des types déguisés en gorilles qui s'infiltrent dans un groupe de cheerleaders, par exemple, et devant cette assemblée de participants rémunérés ils courent en hurlant, vêtus de ce costume débile, au milieu des membres tendus des jeunes femmes faisant le grand écart. Quand, plus tard, on interroge les participants rémunérés au sujet du gorille, ils regardent l'intervieweur d'un air ébahi. Quel gorille? Je n'ai vu que des cheerleaders. Genre. Soit ça, soit j'étais invisible pour de vrai. J'aurais trouvé ça chouette, remarquez, mais je ne crois pas que c'était le cas.

Cette visibilité réduite faisait aussi du vol un

moyen exceptionnellement précieux d'arriver à toutes sortes de fins intéressantes.

Tout ça pour dire que je n'étais pas tout à fait dépourvue quand maman a fini par me jeter à la rue, la première fois qu'elle s'est transformée en étrangère, qu'elle n'a plus été dans mon équipe, sans même regarder par-dessus son épaule. Mais quand même. Que faire avec son maillot quand on n'a plus d'équipe?

Oui, je sais.

Je me suis réveillée en larmes dans un motel bon marché, dont les fenêtres sales laissaient filtrer des stries de lumière délavée. Par terre, il y avait quelqu'un que je ne reconnaissais pas, un garçon qui avait à peine mon âge, de longs cheveux noirs raides cascadant sur les épaules, les bras couverts de tatouages. Sur le cadran, j'ai lu 8:03. Était-ce un jour d'école? M'étais-je encore une fois foutue dans la merde sans le moindre effort?

Le garçon a remué.

— Salut, Cassy, a-t-il dit.

Il a pris une profonde inspiration en se pelotonnant sur lui-même, une couverture trouée sur les épaules. Puis, rapidement, il s'est retourné vers moi et s'est appuyé sur un coude. Il avait du mal à garder ouverts ses yeux bouffis.

— Tu pleures? Ça va pas?

— Quel jour on est? lui ai-je demandé.

Je ne pleurais plus vraiment, mais j'étais encore toute morveuse.

— Hum… Maaardi? Peut-être mercredi. Pourquoi?

— Rien. Il faut que j'y aille… Écoute, je sais pas qui tu es, mais merci de m'avoir laissée dormir ici.

— Pas de quoi. Thom devrait être de retour bientôt. Enfin, je crois. Elle est partie chercher des bons de nourriture. Quelque chose du genre. Au cas où tu voudrais l'attendre.

Thom, bons de nourriture, Thom…

— Tu es… euh… Ri-cky?

Je croyais me souvenir que c'était le nom du petit ami du moment.

— Ouais!

Il était réveillé, entortillé en position assise dans cette vieille couverture qui ressemblait plutôt à un drap. Il s'est étiré, s'est frotté les yeux.

— Merci, beaucoup, Ricky, je…

J'ai sorti quelque chose de mon sac.

— Tiens, prends ça.

— Merci! Mais gardes-en un peu, *man,* il te faut de quoi fumer.

Il a tenté de me rendre le sac dans lequel il restait un peu de tabac.

— J'ai ce qu'il me faut. Merci quand même.

Je suis sortie en courant et j'ai dévalé la rue. À cette heure, elle était parfaitement déserte, sauf deux jeunes enlacés, asexués dans les grandes vestes militaires kaki qui leur servaient de couvertures, qui se tenaient dans l'entrée du cinéma, à côté du guichet. Une tête de chien faisait saillie entre eux. Un peu plus loin, il y avait un vieux type couché sur un banc, une centaine de tons de brun : il avait empilé les manteaux bruns pour se garder au chaud et posé un chapeau brun sur son visage, sa main tachée de brun accrochée à un sac en papier brun dans lequel il y avait une bouteille brune. En courant, je suis passée devant un autre vieux type, déjà debout ou pas encore couché, qui chantait :

— *You are my sunshine, my only sunshine, please don't take my sunshine awayyyyy.*

Owen m'apporte à boire : c'est un machin aux fruits rose et sucré, très gai dans les deux sens du terme, qu'il a versé dans un grand verre. Je l'examine.

— Attends ! s'écrie Owen en courant à la cuisine. Tu ne peux pas boire ça.

En effet, me dis-je en observant la chose. Il revient dans la pièce à petits pas titubants, sa poitrine imberbe (il s'est épilé à la cire hier, avec mon aide) sculpturale au-dessus de sa robe soyeuse et ornée de perles, le corsage ballant autour de sa taille, de son petit ventre plat. Avec le panache d'un magicien tirant un bouquet de fleurs de sa manche, il brandit un petit parasol en papier de couleur rose. Il le dépose tendrement dans le cocktail aux proportions exagérées. Il me sourit.

— Là, c'est bon, dit-il.

Au milieu de la rue, j'ai crié au meurtre de toutes mes forces, crié si fort qu'une volée de pigeons s'est enfuie. Ils étaient si nombreux que, à supposer que j'aie été attachée à eux par des fils, je me serais envolée.

J'ai repris connaissance et il y avait un inconnu penché sur moi, si près que je ne distinguais pas ses traits : homme, femme, homme ?

— Ça va ?

Un garçon à peine plus âgé que moi, mais vêtu d'un costume gris, un porte-documents à la main. J'étais petite, maigre et habillée, faute d'un mot plus précis, de guenilles. Des guenilles de bonne qualité, que je m'efforçais de garder raisonnablement propres, mais quand même. Les costumes ne m'ont jamais rien dit qui vaille. Je me suis assise, fripée, larmoyante, déboussolée. La rue tout entière était envahie par des costumes identiques. Pas comme dans un quartier des affaires ordinaire, où les passants ont tous l'air pareil, mais pour de vrai. Il y avait au moins une centaine de types qui portaient le même costume en marchant à la file indienne le long de la route.

— Euh… oui… je suppose.

Je me suis frotté les yeux, puis j'ai cligné. Pas de chance, ils étaient encore là.

Il a ri.

— Les costumes, je sais. C'est un projet que nous avons mis sur pied. Je suis en pause. Tu viens manger un morceau ? Tu as l'air affamée. Allons.

Il a tendu la main vers moi.

Des traits de peinture rose et verte se perdaient sous la manche de sa chemise.

— Non, merci. Ça va.

— Ta gueule. Quand as-tu mangé pour la dernière fois?

Je ne m'en souvenais plus. Je ne savais plus rien. J'avais besoin d'un verre.

Alors ce type m'a emmenée au restaurant et a commandé pour moi, puis il m'a offert du café et des cigarettes. J'étais incapable d'avaler quoi que ce soit. Aussitôt que je me mettais à mâcher, j'étais prise de nausée. Il a donc emballé les restes pour moi.

— Prends. Il faut manger quelque chose.

À cette seule idée, j'avais envie de vomir. J'ai sorti la boîte de pastilles contre la toux dans laquelle je gardais mon argent et j'ai compté cinq dollars en pièces de cinq et de dix cents. La petite monnaie se trouvait ailleurs. Ça, c'étaient mes grosses coupures, l'équivalent des billets de vingt et de cinquante dollars chez les gens normaux. Des billets, moi, je n'en avais pas. Où est-ce que je les aurais mis?

— Garde ton argent, a-t-il dit en repoussant les pièces vers moi. Je t'invite. Tu veux autre chose?

Un verre, un verre, j'avais envie d'un verre.

— Non, merci.

Je ne savais pas quoi faire. J'étais complètement dépassée par les événements. Dans la vraie vie, ce genre de rencontre n'arrive jamais.

— Merci, euh…

— Alex, a-t-il précisé.

— Merci, Alex, pour la bouffe et…

J'ai commencé à faire tomber dans ma paume les pièces que j'avais posées sur la table.

— Je pense qu'il vaut mieux que j'y aille… mais, tu sais…

— Écoute, a-t-il dit en se penchant, sa main sur la mienne.

Il y avait un petit tas de monnaie sous nos mains, la sienne tiède sur la mienne, qui était glacée comme toujours à l'époque, je n'arrivais jamais à me réchauffer.

— Tu es prise, en ce moment?

Sa main pesait lourdement sur la mienne. Dessus, il y avait une centaine de croûtes de peinture, vert mousse et rose Barbie. Je me suis demandé ce qu'il peignait, au juste.

— Oui, j'ai une réunion, ai-je dit sans rire en le regardant droit dans les yeux.

Il a failli tomber dans le panneau. Sa main, en effet, a eu un léger mouvement de recul.

— Pas question, dis-je en riant.

Je lui tends la boisson immonde. Il rit à son tour en m'offrant un double scotch sur glace sans bâtonnet pour remuer, ni parasol, ni jus de fruits. Rien de tout ça.

— J'adore ton petit minois, chérie! Tu sais bien que je ne te ferais jamais boire un truc pareil! Ha! Ha!

Il prend une gorgée de son drink qui contient sans doute assez de sucre pour faire grimper dans les murs un enfant gavé de Ritalin.

Et c'est parti.

Ils m'attendaient déjà : Rolly, Joey, Pete le Fou, Stiff et Ti-Tommy dont la courroie à lunettes trop serrée faisait saillir la graisse du visage. Étendus dans l'ombre d'un grand chêne, ils parlaient des boules des filles.

— Pas mal, la Touffe ! s'est écrié Joey. Pas mal du tout.

Pete le Fou s'est penché pour inspecter le vélo.

— Bof. On dirait que Barbie a vomi dessus. Pourquoi t'en as pris un rose ?

Je me suis esclaffée.

— Tous les vélos pour filles sont roses, crétin.

— On dirait que nous avons du pain sur la planche, a dit Rolly en faisant courir son doigt sur la peinture lisse de la bicyclette, de la couleur du rouge à lèvres pour petites filles.

L'une des choses les plus faciles à voler, c'est la chemise sur le dos de quelqu'un. Il suffit de s'approcher assez près.

Intermède avec la tête

J'essayais de m'entraîner à parler comme je ne pouvais le faire qu'avec elle. J'étais pas mal saoule et, à ce moment-là, ça me semblait parfaitement naturel. Thom m'avait fait cadeau d'une petite tête en papier mâché fabriquée par ses soins, du genre de celles qu'on coud à un corps pour faire une marionnette. Ses têtes, c'étaient des personnages de théâtre. Si elles étaient ailleurs, disait Thom, elles vivraient, en un sens, vivraient des aventures qu'elle-même n'était pas en mesure de leur donner, vivraient une histoire qu'elle-même ne réussirait jamais à écrire.

Il avait la tête arrondie à l'arrière, le bonhomme en papier mâché, les orbites creuses, des sourcils fournis et le menton pointu. En plus, il était chauve, sans peinture. Que des pages de journaux collées l'une par-dessus l'autre. Un objet léger comme l'air, presque immatériel, facile à déchirer, mais durci, endurci désormais. Par rien, en réalité, sinon de la colle. Il s'appelait Ramone.

— Tu crois qu'il est dangereux de te parler comme ça, Ramone? On se connaît à peine, tu comprends, et je suis là, complètement paf, à te faire la conversation au coin de la rue sous la pluie, et je sais que les autres, les passants je veux dire, s'imaginent que je parle toute seule, mais ce n'est pas comme si je me parlais à moi-même, même si ça aussi ça m'arrive. Tout compte fait, c'est normal et probablement bon pour la santé, tu sais? Je pense même que plus de gens devraient le faire. Pas toi?

Il était du même avis.

— Tu sais ce qu'il y a de plus drôle, Ramone?

Là, il donnait sa langue au chat.

— Le plus drôle, c'est qu'il est parfois plus facile de parler comme ça, par l'entremise d'autre chose que tu as imaginé. Ça peut être tout ce que tu veux. Tu comprends?

Pause.

— C'est un peu ce que je fais avec toi. Ça te dérange?

Ça ne le dérangeait pas.

— J'ai des tas d'idées débiles, Ramone. Des fois, je me dis que j'ai besoin de quelqu'un, pas pour me dire fais ci fais pas ça, mais juste pour me rappeler que j'ai des tas d'idées débiles. Tu veux bien t'en occuper? C'est trop te demander, peut-être? Moi, tu vois, je voudrais surtout pas être responsable de moi.

Il y a eu une autre pause.

— Si je n'étais pas moi, je veux dire.

Et encore une.

— Ouais.

J'étais assise sous un portique, le portique d'une boutique minable qui vendait des merdes pour hippies, des chandelles, du batik, de l'encens. J'étais un peu cachée, mais ce n'était pas la peine parce que les passants étaient mouillés et pressés. Ils ne me voyaient pas. J'ai arrêté de parler pendant un moment pour les regarder.

Un petit poème tout court défilait dans ma tête, quelque chose à propos de pétales sur un rameau noir et humide, un poème débile, court et plutôt magnifique.

— Qu'est-ce que tu dirais, Ramone, d'être immortalisé par un poète débile ayant fait de toi un pétale?

Pause.

— Ouais, je serais en furie, moi aussi.

Nous avons ri tous les deux.

Sous la pluie battante, tout était lustré et avait l'air plus vivant. C'était joli, poisseux, sale et mouillé.

— J'aime la pluie. Et toi, Ramone?

Ramone. Ramone en papier mâché.

— Ah, c'est vrai. Non, alors. J'avais oublié.

J'ai bu au goulot de la bouteille de vodka que j'avais réussi à me procurer.

— T'en veux?

Il n'en voulait pas.

— T'es pas obligé.

J'ai contemplé la pluie. Il ne s'en est pas formalisé.

— T'es plutôt cool, dans ton genre, Ramone.

J'ai bu et nous avons contemplé la pluie, Ramone et moi, juste là, au coin de la rue. Nous n'avons rien dit pendant un moment, mais ça aussi c'était O.K.

Nous nous grimons, Owen et moi, puis nous nous envoyons encore deux ou trois verres. Il ne travaille pas ce soir et moi non plus. Bref, nous avons droit à un répit dans notre emploi du temps démentiel, tordu, lequel, quand on y pense, n'est ni démentiel ni tordu si on tient compte du nombre d'heures de clarté dont nous bénéficions par rapport aux gens ordinaires qui travaillent de neuf à cinq. Nous passons malgré tout beaucoup de temps à travailler, d'une façon ou d'une autre. Sortir ensemble parce que, par coïncidence, nous sommes libres au même moment, c'est un peu comme si un ami très proche était en ville pour un soir seulement, et c'est la dernière occasion que vous avez puisqu'il déménage en Chine. Vous voyez le genre. Tout ça pour dire que nous sommes vraiment emballés.

Et puis.

Je suis assise derrière le volant. Il fait nuit noire. Pas de lune, ce soir. Il n'y a que les étoiles qui découpent des arcs dans le noir absolu, les vagues qui courent sur le rivage, rebroussent chemin, respirent, roulent.

J'écoute.

Chhh chhh chhh chhh

Sur la route derrière moi, une voiture pétarade, sort d'un parking voisin de la plage et accélère. Direction : la maison.

Chhh chhh chhh

Des mouettes s'interpellent, poussent des cris stridents, reviennent. Elles ont l'air plus seules que si elles gardaient le silence.

Chhh chhh chhh chhh

Un enfant, une petite fille, crie, puis pouffe de rire.

Chhh chhh

Les vagues sur le sable, les pneus sur la chaussée tiède dans l'obscurité, les battements de mon cœur, mon souffle. La rumeur d'une pluie chaude qui vient tout juste de commencer, d'abord légère et indécise, les premières gouttes si douces et si étranges et si difficiles à entendre qu'elles nous aident à deviner leur présence en se faisant parfaitement visibles, en formant de petits cercles humides sur la grisaille et la rue, de petits cercles humides qui apaisent et voilent la chaleur et la poussière et le parfum iodé que le jour a déposé sur la terre. Mes genoux sont appuyés sur le volant, une cigarette pendouille au bout de ma main gauche sortie par la fenêtre ouverte, j'ai un double whisky calé dans l'autre. J'ouvre la portière. Je sors. Je descends vers l'eau.

Une baignoire, une flaque, un lac. Pour moi, ça n'a jamais eu d'importance. Pourvu qu'il y ait de l'eau.

Et parce que je suis incapable de résister, sauf si l'eau est gelée, couverte de déchets gris croupissant dans une boue paresseuse ou si des étrons y flottent carrément, j'y entre. À l'intérieur. Dedans. Je suis habillée, ne l'oubliez pas, et j'ai dans la main droite un double whisky que je descends en marchant et que je termine à l'instant où les vagues touchent mon menton. Lorsque je me laisse couler au fond, mon verre vide se remplit, comme par magie. Il fait sombre, la lune est pleine, il pleut et il fait chaud. La température de l'eau est à peine inférieure à celle de mon corps. Le fond de l'océan est tapissé d'oursins. Sous moi, ils bougent en silence. Je m'allonge sur le sable, au fond de l'eau, et je regarde la pluie tomber sur la surface, ondulations de lumière blanche, de lumière réfractée qui, à partir d'un millier de centres, grandissent, grandissent, s'écrasent l'une sur l'autre, s'entredétruisent. Je suis submergée dans l'obscurité, totalement seule. Je ne me suis jamais sentie aussi en sécurité.

Il bougeait lentement sous moi, un peu nerveux, comme s'il avait envie de mettre ses mains là où il ne les avait encore jamais mises. Pas juste sur moi, sur personne.

49

Et elle bougeait sous moi, lourde et lasse, ses jambes pareilles à de grosses tiges qui nous soutenaient parce que j'étais petite et qu'elle me portait et que nous devions aller loin, nous ne savions pas où exactement, mais loin.

Elle a mis ses mains sur mon visage, une fois de plus ensanglanté, sans parler de mes genoux éraflés, de mes coudes idem, de ma peau porteuse de la moitié du gravier de la planète.

— Qui t'a fait ça?

Je n'ai rien dit.

— Allons, Cassy, dis-moi.

J'ai regardé du côté de la fenêtre, du bâton qui, dans la cour, passait pour un arbre, des cordes à linge auxquelles étaient suspendus des sous-vêtements roses et blancs et gris, morts et battant au vent dans l'attente des culs qui les ramèneraient à la vie.

— Regarde-moi, Cassy, mon ange. Si un garçon t'a fait du mal, tu as tort de le protéger. Je ne vais pas lui faire d'ennuis, je te jure.

C'est moi, maman, je le voulais. C'est moi qui l'ai forcé. Je l'ai fait pleurer.

Je n'avais même pas encore de seins.

J'étais donc encore une fois sortie en plein jour, faisant l'école buissonnière comme si personne n'allait rien remarquer, et même si on s'apercevait de mon absence, il n'y avait personne chez nous, alors je m'en tirais pendant un certain temps, sauf que tôt ou tard, ils en avaient ras le bol de ne pas voir ma tronche et se demandaient ce qui était arrivé à la petite dont le dossier était là, quelqu'un la connaît, cette petite? Ils finissaient par téléphoner à ma mère à son travail du moment, et à mon retour, un beau soir, elle me coinçait et pendant un bout de temps c'était la dictature militaire et elle s'affairait à me trouver une nouvelle école. Et ainsi de suite, pendant des années. Elle ne s'en foutait pas, remarquez, seulement, je ne venais pas en tête de sa liste de priorités. Et franchement, ça m'arrangeait. J'étais dans le Chinatown, un des meilleurs endroits pour être invisible parce que tout le monde est trop occupé à jouer à des jeux de hasard ou à choisir les plus belles pattes de poulet et à se donner l'air impénétrable pour se soucier d'une enfant aux yeux ronds qui traîne à gauche et à droite en mangeant des petits pains au porc à cinq cents et s'accroupit parfois pour examiner un détail, les sourcils légèrement froncés. Mes sourcils. Froncés. En quête de quelque chose. Plus tard, j'allais voir mon patron, Charlie. J'effectuais, à toutes fins utiles, des recherches. Ce n'est pas parce que je haïssais l'école que je n'avais pas, même à l'époque, un grand respect pour l'éducation sous toutes ses formes. Alors.

Mes cheveux, désormais raides et ternes, avaient changé de couleur. De la crasse s'incrustait sur mes mains, et je pouvais rester des heures à détacher d'infimes boulettes de peau. Après une abrutissante journée d'école, il y en avait toute une collection sur mon pupitre. En arpentant les couloirs morts de cet établissement, j'entendais les autres murmurer de nouvelles insultes dans mon dos. Clocharde, disaient-ils. Vagabonde. Traînée viendrait plus tard.

J'essayais de me laver, remarquez, mais alors je me souvenais de mon rêve, celui de l'enfant gelé. Chaque fois, sans exception, pendant des années. Je faisais couler de l'eau dans la baignoire, versais dans ma main un peu du shampoing vert à la pomme, celui dont la bouteille luisait comme une sucette, et je faisais des bulles. Je mettais mes pieds dans l'eau. Voyais les yeux de l'enfant qui hurle.

Et je partais à courir.

Sous l'eau, les sons voyagent lentement. Les longueurs d'onde s'aplatissent, le souffle s'apaise, le cercle s'arrête un moment. En parlant, je peux remonter le temps sans me noyer.

Ce n'est pas aussi grave qu'on pourrait le penser. Vous le faites vous-même tous les jours. Sinon, vous ne sauriez même pas qui vous êtes, vous savez? Comme quand, le matin, il faut faire face à la douleur et à la puanteur de ce qui est arrivé, du moins vous en êtes raisonnablement certain, comme quand, le matin, il faut faire la transition, vous savez, mettre l'image au point? Comme ça.

On tape sur l'aquarium. Une tête blond roux, des bras minces et bronzés. Terry.

— Cassy, esquisse sa bouche.

Il me fait signe de remonter à la surface.

Je m'élève, fends l'air, un immense sourire aux lèvres.

— Terry! Comment ça va?

J'appuie mes bras au bord du réservoir, pose ma tête sur mes mains.

— Freakboy est de retour.

Il montre une chaise à l'autre bout du bar. Chaque soir que je travaille, le même type l'occupe. Il connaît mon nom, mon horaire. Même quand c'est moi qui choisis mon quart, il est au courant. Si je suis là, il est là, lui aussi. Comme il avait raté mes deux prestations précédentes, nous espérions qu'il avait quitté la ville ou succombé à un violent coup sur la tête, n'importe quoi.

— Merde, dis-je, ma bonne humeur évanouie, même si j'ai toujours sur les lèvres un sourire fendu jusqu'aux oreilles. Qu'est-ce qu'on fait?

Je hausse les épaules.

— Euh… ce soir, il a de l'argent.

Ma bonne humeur se fissure de partout, c'est mauvais.

— Pas mal d'argent.

— Meeeerde, dis-je en me laissant tomber jusqu'au fond de l'aquarium.

Je reste là. Je ne nage pas vraiment. Je me contente de lutter contre la propension naturelle qu'a le corps humain à flotter. Freakboy m'observe, comme toujours, il m'accorde toute son attention, sans honte, au contraire de certains types qui font semblant de regarder quelque chose ou quelqu'un d'autre, ailleurs, il m'observe avec intensité, me dévore des yeux.

La bouche d'Alex, quand je m'y suis enfoncée, avait un goût de néant. On aurait dit que son intérieur m'aspirait, que, si je m'approchais trop, il m'avalerait corps et âme. Il m'avait emmenée chez lui, une sorte de loft au rez-de-chaussée d'un immeuble, une boîte rectangulaire ensoleillée. Le sol de la pièce était recouvert de pièces de un cent, les murs tapissés de toiles représentant des carrés gris, des carrés bruns et des carrés caca d'oie. Dans un coin, il y avait du matériel musical hors de prix, de toute évidence, des colonnes de son et des haut-parleurs, des guitares et des claviers. Détail curieux, la musique, elle, brillait par son absence : pas de collections de disques, pas de CD, pas de cassettes. Tout était net, trop net, froid. Je suis entrée derrière lui, le goût de son vide encore sur mes lèvres, et je suis restée dans un coin, sans savoir où poser mes affaires. Je me sentais incroyablement, indiciblement désordonnée.

— Les murs sont en béton et font soixante centimètres d'épaisseur, m'a-t-il expliqué. Comme ça, personne ne peut entendre les cris.

Il est allé cacher mon cuir et mon sac quelque part. À son retour, il a retroussé les lèvres. Sa façon à lui de sourire, me suis-je dit.

— C'était une blague, a-t-il précisé.

Je l'ai regardé.

— Je sais, ai-je répondu.

Je ne riais toujours pas.

— Pourquoi t'as pas de disques ? lui ai-je demandé en regardant autour de moi.

J'aurais donné cher pour qu'il me redonne mes affaires.

— Je crée de la musique, moi. Quand je travaille, celle des autres me distrait. Et je travaille tout le temps.

Il s'est penché pour m'embrasser encore une fois, a glissé sa main sous ma chemise et a palpé mes seins, par-dessus mon soutien-gorge.

Je me suis dégagée.

— J'ai besoin de mes choses.

Il a secoué la tête.

— Viens, a-t-il dit en m'entraînant par la main vers la salle de bains.

Du fond de l'aquarium, je vois Freakboy lourdement appuyé sur le bar, les épaules arrondies. Il boit à même la bouteille sans jamais me quitter des yeux, se tapote le sein gauche à l'occasion, comme s'il avait dans sa poche un objet qu'il ne veut pas perdre ou dont il tient à cacher la présence. Seulement, son inquiétude et la manie qu'il a de se toucher à cet endroit sont presque une invitation à le dévaliser. À cause des poches qu'il a autour des yeux, on dirait qu'il louche. Je vois Terry dans son box. Il tripote ses boutons et ses cadrans et prend une voix onctueuse qui parvient jusqu'à moi. Il croise mon regard, me fait un grand sourire et invite les spectateurs à SENTIR LA FORCE DE SA NU-DI-TÉ et nous nous esclaffons comme ça nous arrive souvent, puis je lui souffle un petit baiser sous-marin tout mouillé. Freakboy regarde Terry d'un œil torve et, parce que ça fait partie du boulot et du jeu qui va se jouer plus tard, je tourne lentement sur moi-même, déployant mes cheveux sous-marins ornés de coquillages et de fausses algues, longue chevelure chatoyante qui me donne un éclat de sirène, laisse derrière moi une traînée d'or froufroutant, et j'arrive presque à me voir dans ses yeux au moment où je pivote, lente et scintillante, et presse délicatement deux doigts sur le verre, à côté de l'endroit par où l'aquarium fuit, et je souris légèrement, presque imperceptiblement, et je soutiens son regard pendant un instant avant de me détourner rapidement, coquette, et j'effectue deux ou trois pirouettes rapides avant de refaire surface.

Terry s'avance au moment où je me hisse hors de l'eau et me laisse tomber sur le rebord étroit où je roule sur moi-même, toujours dépourvue de jambes.

— Cassy, dit-il d'un air grave en me regardant descendre la fermeture éclair.

Ziiip.

Je lève les yeux sur lui.

— Quoi?

Nous nous regardons pendant un moment, sans rien dire, moi à mi-chemin entre ma queue et mes jambes, mes cheveux de sirène collés à mes bras.

Il se penche pour m'aider à m'extirper de ma queue, je m'allonge et je soulève mon cul pour lui permettre de la tirer, de me peler comme un raisin de la taille aux orteils, humide et poisseuse. Presque distraitement, il caresse mon pied d'une main ; de l'autre, il tient ma queue désormais inanimée. Il me la tend après l'avoir pliée avec soin. Il baisse un peu les yeux.

— T'es pas obligée, tu sais.

Je grogne.

— Ouais, bien sûr, j'ai des tas de débouchés en vue. L'autre jour, justement, je…

— Je sais, m'interrompt-il comme chaque fois qu'il n'a pas envie de subir mon humour débile.

Je pose ma perruque sur ma queue.

— Je reviens tout de suite, dis-je en mettant ma main sur la sienne.

Le couloir qui conduit aux chambres du sous-sol est franchement humide, glacial. Je m'en voudrais de donner mon argent durement gagné pour descendre ici. Mais. Ils sont nombreux à le faire. Ici, tout est aussi délabré qu'à l'extérieur : l'approche de la décoration intérieure préconisée par Eddy ressemble à s'y méprendre à celle qu'il a adoptée dehors. On pourrait la dire organique, si on se sentait charitable. Une âme empreinte de moins de noblesse ou simplement plus terre à terre parlerait de paresse. On voit toutes sortes de teintes répugnantes de vert bile et de noir, vestiges de l'ère punk. À force de peler, la peinture laisse même voir les vieux graffitis des skinheads. À une certaine époque, l'établissement accueillait des groupes Oi! et, pendant une saison, a carburé aux clients pour qui la notion de pourboire était étrangère, à la haine fouettée par les drogues. Des types incapables de faire face à l'objet de leur haine. Des types qui n'auraient même pas su épeler le mot haine mais qui s'inventaient un accent allemand bidon avec des *umlauts* placés à tort et à travers. Vous voyez le genre. Si vous creusez encore, vous trouverez de la mauvaise poésie gothique; poursuivez vos excavations, et vous risquez de tomber sur des perles édifiantes, genre Une balançoire, c'est la liberté au bout d'une laisse. En dessous, il y a sans doute du blanc. Seulement, c'est difficile d'en être sûr parce que tout est jaune à cause de la fumée. Par endroits, on voit des briques, preuve qu'un mur existe bel et bien et que l'immeuble ne repose pas uniquement sur un échafaudage d'encre et de métaphores merdiques. Dans le couloir, je passe devant une mystérieuse collection de bouteilles de bière au goulot cassé. Ce sont des armes, même si la moitié des employés sont équipés d'un revolver ou d'un couteau, alors que l'autre moitié est capable de vous botter le cul jusqu'à plus soif, et d'ailleurs les deux moitiés se recoupent, ce qui fait que vous avez intérêt à regarder où vous mettez les pieds, mais si vous trébuchez pas de problème : on vous a à l'œil, de toute façon. À quoi servent donc les bouteilles cassées? Disons qu'elles ajoutent à l'ambiance.

En classe, il n'y avait plus que moi, seule dans la rangée du fond. Thom avait décroché, Jesse aussi. Jesse, hum. Jesse était un sacré personnage.

Chaque fois que je l'emprunte, le couloir me paraît plus court. J'ai appris le numéro de téléphone de plein de gens qui sont morts depuis ou partis dans une autre ville ou à tout le moins déménagés, mais, à l'instant où je m'avance dans le couloir le plus lentement possible, je me rappelle leur numéro et je laisse tout ce que je vois m'imprégner et s'inscrire à jamais dans ma tête pour que rien d'autre n'y entre. Si je fais *ceci* assez lentement et *cela* assez vite, les deux vont coïncider en moi et, au lieu de me souvenir de *cela,* je vais régurgiter le nom de quelqu'un qui vend une coke du tonnerre, tout en m'étouffant un peu sur l'indicatif régional. Mais ça va. Ça vaut mieux comme ça. Ça vaut largement les six verres que je vais m'envoyer tout à l'heure. Alors.

— Déshabille-toi, a dit Alex.

Il était assis sur les toilettes, vêtu de pied en cap. De l'eau coulait dans la baignoire, et de la vapeur montait d'un amas de bulles. La porte de la salle de bains était fermée, même si nous étions seuls chez lui. J'ai enlevé mes vêtements : un haut noir sans manches et déchiré sur un soutien-gorge noir et déchiré, plein de trous à cause de la dentelle usée à la corde, une minuscule minijupe noire qui me cachait à peine les fesses, des bas résille tout troués sur des collants rouge sang et des bottes à quatorze rangs d'œillets. Ma culotte, pratiquement évaporée — bande élastique retenant un ramassis de trous, seule l'entrejambe encore dans un état potable —, est tombée par terre.

— Tout, a-t-il dit.

— C'est tout, ai-je répondu.

— Non. Tout.

Grave, il a indiqué mes bagues, mes bracelets et mes colliers.

— Pas question, ai-je dit en croisant les bras sur ma poitrine.

— Très bien, a-t-il répliqué en me tendant mes vêtements. Alors va-t'en.

Je suis restée là, nue dans la salle de bains, mes vêtements à la main. Il a arrêté l'eau.

— Va-t'en.

Il regardait dans la baignoire.

J'ai haussé les épaules, puis j'ai commencé à me rhabiller.

— Tu veux bien aller chercher mes affaires? Je sais pas où tu les as mises.

En se retournant, il a constaté que je m'étais rhabillée.

— Tu ne vas pas t'en aller pour de vrai, dis? a-t-il fait. Je t'en prie. J'en ai tant besoin, je t'en prie.

Et il a commencé à m'embrasser en pelant mes guenilles une à la fois. Il déchirait les tissus et, dans sa hâte d'arriver jusqu'à moi, agrandissait les trous. Il a arraché ma culotte, l'a déchirée à partir de la bande élastique, puis il a sorti sa queue de son costume et s'est enfoncé en moi jusqu'au bout, là, dans la salle de bains. Sous nos corps, les carreaux propres et froids ne faisaient aucun bruit.

Et il est donc là, derrière cette porte striée de peinture argent, vestige d'une nuit que j'ai passée avec Owen. Nous nous y étions attaqués avec des paillettes, du vernis à ongles et pas mal de dope. Derrière cette porte, on distinguait toujours un message remontant à des temps immémoriaux, à la fois cryptique et simple. En capitales et en caractères gras, on lisait : *LES GENTILS HABITS DE BILLY GUILI-GUILI.* Le sens? Va savoir. Je parierais que l'auteur lui-même n'a aucune idée de ce qu'il voulait dire. Derrière cette porte que nous avions tenté de rendre fabuleuse parce que nous avions eu pendant un instant une furieuse envie de beauté, mais qui n'était encore jamais qu'une porte. Quelqu'un d'autre avait écrit FAIS-LE DONC, là, à l'aide d'un rouge à lèvres épais. Et avait dessiné une chatte dégoulinante. Alors. La porte numéro un, mesdames et messieurs, notre concurrente a choisi. La! Porte! Numéro! Un! Voyons voir si elle a gagné le voyage à Hawaï…

Et voilà Freakboy assis sur la chaise destinée aux nerveux. Il a encore son pantalon. Eddy se profile derrière lui.

Freakboy me jette un seul coup d'œil et dit :

— Tu n'es pas celle que j'ai demandée.

— Ah bon ? C'est qui, alors ?

— Cassy.

Qui t'a dit mon vrai nom, espèce de merdeux ?

— Je vois.

— Non, tu ne vois rien du tout. Je veux celle que j'ai demandée. La sirène.

Le matin venu, je me suis habillée et j'ai visité la maison, à la recherche de mes affaires. Je les ai trouvées dans un placard au bout du couloir, dans lequel il n'y avait rien d'autre. Rien. Pas de bric-à-brac, pas de manteaux, pas de boîtes, rien du tout. Pendant que je récupérais mon sac, j'ai entendu :

— Tu vas quelque part ?

Je me suis retournée. Appuyé sur le mur, Alex, nu, me bloquait le passage.

— Ouais, j'ai des trucs à faire. Je te téléphone.

Je l'ai embrassé sur la joue, puis, après être passée sous son bras, je me suis engagée dans le couloir. Il m'a agrippée par un bras, m'a obligée à me retourner, et là il me tenait par les deux.

— Pas question. J'ai besoin de toi. Reste.

Il m'a embrassée, a tenté d'enfoncer sa langue dans ma bouche, mais j'ai serré les lèvres et je l'ai repoussé.

— Ça va te passer. Il faut que j'y aille. On m'attend.

— Non. Reste. Tu es à moi, maintenant.

Il s'est penché de nouveau, puis il a pris ma lèvre inférieure entre ses dents et l'a mordue, fort. Je l'ai repoussé en essuyant le sang de ma bouche.

— Ne me touche plus jamais, enculé!

Je me suis dégagée et j'ai couru jusqu'à la porte. Je ne me suis arrêtée qu'au coin de la rue.

Je le regarde.

— Euh, dis-je, ne bouge pas. Je vais voir si elle est là.

Je sors de la pièce presque en courant. À force de me retenir de rire, j'ai l'impression que mes poumons vont éclater. Dans la chambre d'Owen, j'étouffe, mes yeux coulent, et je pousse des rires rauques, incontrôlables.

Au milieu du premier cours, je me suis levée et je suis sortie. Je n'avais nulle part où aller, mais il y avait forcément dans le monde un endroit plus drôle que celui-là.

L'air était tiède. Et j'arrivais à respirer. Et je n'avais encore rien vu. À l'époque, je n'ai même pas fait attention. Du tout.

Intermède avec la tête

Encore une journée pluvieuse. Ainsi va la vie, sous ces latitudes. Les nuages bas galopaient, galopaient littéralement je veux dire, au-dessus des marécages. J'étais là parce que je passais la journée à l'aéroport. J'étais venue voir les avions décoller pendant toute la journée, c'était réconfortant. Dans mon crâne, mes pensées bouillonnaient, et j'avais le plus grand besoin d'échanger deux ou trois voyelles. C'était le plein jour, étant donné l'heure, abstraction faite des nuages susmentionnés.

Le bruit était assourdissant. Le bruit me faisait du bien. Il m'apaisait. Ramone était perché à côté de moi. J'ai poussé un soupir.

— Dis-moi, Ramone, pourquoi les gens sont-ils de parfaits salauds ?

Il m'a regardée de ses yeux enfoncés et dépourvus de peinture que j'avais souvent songé à colorer de la couleur des jonques, tiens ça me fait penser à junkie, puis je m'étais dit que je n'aimerais pas trop que quelqu'un décide que mes yeux avaient besoin d'un coup de peinture et que c'étaient ses yeux à lui. Tant pis s'ils étaient dépourvus de pupilles et de je ne sais trop quoi. C'étaient ses yeux à lui. Sous leurs sourcils broussailleux, ils me fixaient d'ailleurs d'un air oblique. Il y a eu une pause.

— Bon, d'accord, Ramone. Pas tous, mais pourquoi est-ce qu'ils font des saloperies pareilles ? Pourquoi ?

Pause.

— Parce que ce sont des humains ? C'est ça, ta théorie ? C'est quoi ? Une forme de supériorité réservée aux êtres inanimés ?

Il m'a regardée.

— Oui, bon, d'accord, ça va. Je parle avec toi plus facilement qu'avec la plupart des êtres humains. Mais, Ramone, et je ne veux surtout pas minimiser l'importance du rôle que tu joues dans ma vie, dis-moi, c'est leur faute à eux ou la mienne ?

Des jumelles vêtues exactement de la même manière — robe de mousseline noire à pois blancs et noirs, chapeau de paille noir — sont passées devant nous, c'est vrai, je le jure, au ralenti. Leurs cheveux blonds étaient si blonds que c'était en réalité une affreuse teinte de jaune, comme le bout des épis de maïs, celui qui est immangeable, minuscule, difforme et décoloré, leurs cheveux jaunes dégoûtants pareils à ceux du maïs sortant de leurs chapeaux de paille identiques, et elles sont passées devant nous en nous souriant d'un air rêveur, à moi et à Ramone. Nous les avons suivies des yeux et Ramone a tiré un petit bout de langue en papier mâché.

— Elle est bien bonne, David.

Pause.

— David Lynch.

Pause.

— Mais oui, tu le connais. Je t'ai emmené voir un film ou deux de lui.

Pause.

— Oui, le type aux micro-poulets.

Pause.

— Savais pas. La prochaine fois, je te laisserai à la maison. Merde.

Autre pause, un peu longuette, celle-là.

— Écoute, mon vieux, t'es pas obligé d'aimer les mêmes choses que moi. Exprime-toi, c'est tout.

Pause. J'ai ri.

— Ouais, je sais. Tu sais ce que je veux dire.

Nous avons observé l'arrivée d'un avion, un gros vieux 747 de Qantas venu de l'autre côté du monde.

— Tu savais qu'on voit des étoiles différentes en Australie ? La chose qui se rapproche le plus de l'étoile polaire chez eux, c'est une stupide constellation en forme de croix. C'est elle qu'on utilise pour se guider. C'est fou, hein ?

Pause.

— Non, c'est des groupements d'étoiles auxquels on attache beaucoup d'importance et sans eux il y a des tas de choses qui ne seraient pas arrivées, par exemple les marins et leur manie d'aller un peu partout. Imagine. Si on s'éloigne juste un peu sur notre bonne vieille planète, on perd de vue quelque chose d'aussi fondamental, d'essentiel.

Pause.

— Ouais.

Pause.

— Bah, tu sais bien. Les garçons, l'alcool, la dope. Des trucs, quoi.

Pause.

— Bon, ça va. Je suis juste un peu fatiguée, je suppose.

Pause.

— Des fois, j'ai l'impression que ça sert à rien. C'est peut-être normal, c'est peut-être bien, je veux dire, que ça serve à rien. Pourquoi s'en faire ? Sauf que je me dis qu'il faudrait que ça serve à quelque chose. Tu vois ? Et je suis pas sûre que ce soit le cas.

Pause.

— Je sais pas, c'est juste que je me réveille tout le temps dans le lit de types que je connais pas ou je rentre toute seule le soir, et là je me demande : à quoi ça sert ? Qu'est-ce que tu fais ? Souvent, c'est amusant et là je me pose pas la question mais quand c'est pas amusant, là, je me la pose. Vraiment.

Pause.

— Je sais pas. Ce que je veux ? Je sais pas. Ça change tout le temps.

Pause.

— Là, maintenant ? Je veux être toute seule ou plutôt avec toi et j'aimerais voir clair dans toute cette merde. Aujourd'hui, par exemple, il y en a un qui me prend pour sa maîtresse et si je le vois en public personne doit se douter qu'on fait plus que se dire bonjour. Bon, d'accord, j'ai trouvé ça drôle pendant un moment, mais là je commence à me sentir un peu idiote. Tu vois ? Puis il y en a deux ou trois autres, mais c'était des histoires sans lendemain, c'est le plus facile, on baise et on en reste là, ni vu ni connu, pas de quoi fouetter un chat et tout le monde s'en fout, c'est juste des parties du corps qui se mouillent tandis que d'autres durcissent, pas vrai ? Qu'est-ce que ça change ?

J'ai allumé une cigarette. Ramone gardait le silence et, contre son habitude, se montrait introspectif. Il a toujours des choses à dire, mais il arrive qu'il les garde pour lui.

— Tu sais quoi, Ramone ? Je vais me taire un moment.

Ça lui allait parfaitement. Nous sommes restés là, assis. J'ai fumé. J'ai respiré. Nous avons regardé un avion décoller. Sans que je comprenne comment, il a réussi à arracher son gros cul du sol et à transformer ses tonnes de métal en un objet qui, contre toute attente, vole. Nous l'avons vu s'éloigner, virer sur l'aile, se diriger vaguement vers l'ouest jusqu'à ce que l'ouest devienne l'est. Il s'en va, s'en va, s'en va, s'efface au loin, d'abord minuscule, puis infime, puis disparu, puis plus rien. Comme s'il n'y avait jamais rien eu.

Comme ça.

La bosse sur mon crâne a mis quelques jours à se résorber, mais la fièvre était tombée, alors je suis retournée à l'école. Une des institutrices m'a prise à part pour me dire que Jesse était tombé d'un pont du centre-ville, complètement pété. Des représentants de l'école avaient tenté de communiquer avec moi, mais ma mère avait refusé de leur adresser la parole. Ça va ? a-t-elle voulu savoir.

Non, ai-je répondu. Non, ça va pas. Ça va pas du tout.

Elle a dit que je pouvais prendre la journée.

Chouette, quelle chance, ai-je marmonné.

Le service aurait lieu dans deux jours et toutes nos condoléances. Si j'avais besoin de quelqu'un à qui parler, ils étaient là. Tu as besoin de quelque chose ?

J'ai ri. À ton avis, merde ? ai-je dit avant de sortir.

Mais c'était plus tard. Plus tard, après ceci.

Maman refusait toujours de répondre à mes appels. Je suis allée chez elle, mais elle avait fait changer les serrures. À la fenêtre, elle a dit :

— Si tu entres ici, je te fais arrêter.

— Dans ce cas-là, ai-je répondu, tu veux bien sortir pour me parler, maman ?

— Même pas si ta vie en dépendait.

Elle avait la voix froide, éteinte, celle que devraient avoir les victimes d'un lavage de cerveau, mais qu'elles n'ont jamais, et j'ai vu qu'elle pleurait : ses yeux se sont plissés, les coins de sa bouche se sont abaissés. Elle me regardait par la fenêtre, et je voyais son visage en guerre contre son cœur. Au bout d'un moment, elle a soupiré, puis elle s'est frotté les yeux des deux mains et elle a disparu. Elle a disparu de cette manière, ses doigts retenant ses yeux dans leurs orbites. Ses doigts gardant ses yeux fermés. Elle ne m'a même pas jeté un dernier coup d'œil.

Elle n'a pas toujours été comme ça. Avant, elle était drôle. Avant, elle était toujours là quand j'avais besoin qu'elle soit là et s'en foutait quand j'avais besoin qu'elle s'en foute. Quand des policiers téléphonaient ou me ramenaient à la maison dans leur voiture clignotante, elle faisait semblant de ne pas comprendre l'anglais. Si je n'étais pas déjà trop pétée, elle me préparait un grog. Il lui arrivait aussi de me faire couler un bain et de rester avec moi pour bavarder, me laver les cheveux en se servant d'un pot de yaourt vide pour les rincer, comme avant, mais ce n'était pas la même maison, pas exactement. La baignoire était assez grande pour nous deux. Pas pour moi et elle. Pour moi et Pony.

Mais alors il est arrivé quelque chose. Parce que je n'ai pas fait attention, j'imagine, je l'ai perdue.

Je ne savais pas s'il serait là, mais j'y suis allée de toute façon. Moi et Jesse, nous avions l'habitude de nous retrouver dans le petit resto minable sur le chemin de l'école, et j'espérais vaguement le trouver là. Même si nous venions tout juste de recommencer à nous voir, même si tout foutait le camp, même si maman refusait de me parler. Il était là. Nous nous étions liés d'amitié avec la serveuse du matin, Jodie, une grande blonde venue d'ailleurs. Pendant le premier et le deuxième cours, nous restions là à siroter un café qu'elle nous réchauffait à volonté. À l'heure du troisième cours, elle s'énervait et nous disait de déguerpir et de retourner en classe ou, à tout le moins, de manger quelque chose.

Je me promène dans la petite ville ronde bâtie autour d'une baie sur la côte, coincée entre deux grandes villes aux noms ronflants. Je sors du travail et j'ai l'impression qu'il se passe quelque chose quelque part, seulement je n'arrive pas à savoir où. J'ai envie de pleurer sans raison. Je ne pleure pas. Je marche encore un peu, je tombe sur un bar et je m'offre deux ou trois verres. Je tremble. Ça faisait donc si longtemps ? Je ne sais pas. Je ne me souviens plus.

Nous rions comme des fous, Owen et moi, à cause de Freakboy.

— Tu me tues, chérie! Il veut entrer dans l'aquarium ou quoi? Oh, mon Dieu! Où est-ce qu'il la mettrait? Ha! Ha!

À force de rire, Owen a cochonné son eye-liner. Nous sommes presque prêts à sortir nous éclater, Owen et moi.

Je tombe sur une fille que je connais vaguement. Elle a l'air encore plus paumée que moi.

— Salut, dit-elle à l'instant où je me perche sur un tabouret à côté d'elle. Je te connais, toi. Il y a longtemps que je t'ai pas vue. Ça va?

Je commande un double, allume une cigarette. Je la regarde, incapable de la replacer.

— Je sais pas. J'étais comment, la dernière fois que tu m'as vue?

Elle sourit. C'est un sourire de fille bourrée, le sourire difforme d'un personnage de dessins animés, comme un serpent qui chercherait à s'enfuir.

— Je sais pas moi non plus. Tu sais?

Quand Jodie s'est approchée vers midi, nous nous sommes regardés, Jesse et moi. Pas besoin de parler. Nous avons payé et nous avons foutu le camp. Jesse appelait sa voiture Peggy Sue et elle nous attendait derrière l'école, pas exactement dans le parking, mais, disons, à côté. Bon, d'accord, dans le massif de fleurs. Dans la lumière froide et vide, vide comme l'air qui se fait peu à peu à l'idée d'être froid tout le temps, les courbes bleues de Peggy Sue étincelaient.

— Beau travail, mon pote. T'aurais pas déjà été voiturier, par hasard? ai-je dit, debout à côté de la portière du passager.

Je me frottais les jambes l'une sur l'autre pour les réchauffer.

— Ouais, a répondu Jesse en se penchant pour m'ouvrir, à peu à près à l'époque où t'étais tordante, salope.

En s'ouvrant, la portière a arraché deux ou trois fleurs flétries. Je suis montée, j'ai claqué la portière et nous sommes partis.

Jesse a allumé un joint à l'aide d'une cigarette et nous avons compté nos sous pour voir ce que l'après-midi nous réservait. C'était un peu comme prédire l'avenir en lisant dans les entrailles de bêtes sacrifiées, je suppose, seulement avec moins de sang.

Owen me fait enfiler la robe du soir qu'il avait préparée pour lui-même et revêt un costume. Nous sommes plutôt bourrés, mais pas encore de manière dérangeante, et parce qu'il y a longtemps que nous ne sommes pas sortis ensemble, que nous sommes un peu pafs et que nous en avons envie, nous allons dans un endroit où nous ne sommes jamais allés. Du moins pas dans cette tenue. En nous dirigeant vers la porte, nous passons devant la foule de vieux types qui attendent une chambre, un box ou l'occasion de voir quelqu'un d'autre entrer ou sortir. Nous ne bousculons personne, même si nous montons et descendons des escaliers à contre-courant. Eddy, vêtu d'un costume de pingouin bon marché, nous attrape juste devant la porte.

— Quel chic, les enfants, dit-il en souriant pour une fois.

Puis il tend à Owen un billet plié et lui décoche un clin d'œil complice.

— Occupe-toi bien de la petite, dit-il au moment où nous sortons.

Un peu plus bas dans la rue, je demande à Owen :

— Combien il t'a donné ?

Il déplie le billet. Dix dollars. Nous sommes pris d'un fou rire encore une fois et nous nous engageons dans les ruelles à la recherche d'une bouteille pour la route. Dix dollars, ça devrait suffire.

Le bruit d'une scie à chaîne, répercuté par les parois trouées de la carrière, résonnait au-dessus de la gueule béante de la mine, près de la ferme où nous avions l'habitude d'aller nager. Chaque été, des jeunes y mouraient. On avait planté un écriteau :

ATTENTION !
Eaux peu profondes et rochers pointus

Comme si nous n'étions pas déjà au courant.

74

Nous sommes passés prendre Thom à l'hôtel et elle s'est casée tant bien que mal sur la minuscule banquette arrière. Puis elle s'est penchée entre nous et nous a tendu à chacun deux ou trois pilules que nous avons avalées sans poser de questions.

— Arrête-toi une minute, Jesse.

Je venais d'apercevoir Pig, un type au milieu de la vingtaine avec qui je couchais de temps en temps, plutôt beau garçon et pas trop puant, un type avec qui il m'arrivait même de me tenir, juste pour parler, un type qui réussissait toujours à me procurer ce que je voulais, un type dont les hormones ne s'étaient pas encore remises des, disons, affres de l'adolescence.

— Viens là, Pig! ai-je dit en me penchant par la fenêtre ouverte.

— Salut, Cassy. Comment ça va? a-t-il répondu en s'avançant.

Il a souri avant de jeter le mégot mouillé de la cigarette qu'il avait roulée à la main. Je lui ai donné la poignée de petite monnaie que nous avions réunie, et il a dit pas de problème. Puis il s'est éloigné. Pendant que nous attendions, à rien faire, un garçon est sorti d'une ruelle, de l'autre côté de la rue, les mains profondément enfouies dans son blouson en jean doublé de faux mouton, la casquette baissée sur les yeux. Je l'ai reconnu tout de suite, même si je ne l'avais pas vu depuis plus d'un an. Rolly.

— Merde, ai-je dit d'un ton tranchant.

Jesse s'est penché pour voir ce que j'avais vu. C'est là que le regard de Rolly a croisé le mien. Ses yeux ont fait l'aller-retour entre Jesse et moi, puis il s'est arrêté en suçant ses dents pendant un moment. Il a haussé les sourcils et esquissé un petit sourire mauvais, puis il a tourné les talons et s'est éloigné. Jesse a laissé échapper un long soupir bas. Cramponnées au volant, ses mains avaient blanchi.

— Fuck. Fuck. Fuuuck. Qu'est-ce qu'on fait ?

De la banquette arrière, des confins de l'espace, de très loin, Thom a dit :

— À propos de quuuuoooooi ?

Je me suis calée dans mon siège. Les épaules serrées sur le cœur. J'ai respiré.

— Tant pis, Jesse. Tu peux pas passer ta vie à avoir peur de lui. Moi non plus. Tant pis. S'il veut tenter quelque chose…

J'ai secoué la tête. Pig revenait vers nous, un large sourire au visage. Je suis descendue, je l'ai poussé sur la banquette arrière avec Thom et nous sommes partis.

Nous avons roulé longtemps sans but. Nous n'avions nulle part où aller. Nulle part où être. Nous n'avions rien à faire. Nous sommes passés devant l'ancien hôpital psychiatrique, où des atrocités auraient été commises, des atrocités si inimaginables que personne n'osait en parler à voix haute. Abandonné depuis des années, il semblait béer, porteur d'une promesse crasseuse, comme le chicot d'une dent pourrissant dans une bouche bien vivante.

Nous sommes passés devant de vieux restos moches en forme d'ovni, de dinosaure, de beigne. Des endroits où de grassouillets personnages de bandes dessinées annoncent les spéciaux du jour, ceux d'aujourd'hui, de demain et d'après-demain. La plupart étaient fermés. Aucune importance puisque nous n'avions pas faim.

Nous avions quelques pilules dans les veines. Nous avions avec nous une bouteille de bonne taille. Nous avions ce qu'il restait de la lumière du jour et, après, tout le temps qu'il fallait. Et nous roulions, pafs, partis.

Owen et moi marchons vers le centre en descendant la merde que nous avons achetée dans la ruelle, une quelconque liqueur sucrée. À notre arrivée au restaurant, nous sommes bien ronds. Le maître d'hôtel nous sourit largement. Il nous souhaite la bienvenue et nous assigne une table à l'avant. Il tire la chaise pour moi. Owen s'assoit, sourit à l'homme et le remercie aimablement en battant des cils. Toujours debout, je décoche un clin d'œil au maître d'hôtel.

— Ne faites pas attention à la petite dame, dis-je. Elle a encore abusé du vin de cuisson.

Depuis quelques minutes, Pig se plaignait de sa vessie, alors Jesse s'est rangé au bord de la route, et nous sommes tous descendus, sauf Thom, qui, tournant dans sa propre orbite, est restée sur la banquette arrière.

— Me suivez pas, vous autres, a dit Pig en s'éloignant de l'accotement d'un pas titubant.

Il y avait là un sentier boueux en gravier jonché de sacs de chips, de bouteilles de boisson gazeuse vides, de rongeurs et d'oiseaux, bref de carcasses en tous genres.

— J'arrive pas à pisser quand on me regarde.

— Zut, ai-je dit, les poings sur les hanches dans un geste d'indignation feinte. Tu viens de me gâcher ma journée.

Jesse et moi sommes partis de l'autre côté, où des mauvaises herbes hirsutes poussaient entre des montagnes de déchets, de vieux pneus, de canettes de bière et de téléviseurs détraqués. En courant presque, nous avons suivi le clapotis de l'eau. Un petit ruisseau sale à l'eau brune coulait paresseusement sur un nid de seringues et de capotes, lessivait les membres d'antiques poupées. Bref, c'était un lieu où venaient jouer des enfants de toutes sortes. Pendant un moment, nous avons regardé les ordures, et Jesse a tenté de me convaincre de mettre une tête de Barbie dans la bouche, une tête de Barbie traversée par une aiguille.

En haut d'un arbre, j'ai vu un objet rouge luisant, muni d'ailes papillonnantes.

— C'est quoi? ai-je demandé en le montrant du doigt.

Jesse a regardé à travers ses cheveux.

— Sais pas.

J'étais déjà grimpée dans l'arbre. Là, j'ai secoué la branche et l'objet rouge est tombé en voletant.

— Fuck, ai-je entendu.

J'ai trouvé Jesse en train de retourner la chose à

l'aide d'un bout de bois. Dans cette position, on voyait clairement de quoi il s'agissait.

— Merde. Qu'est-ce que ça faisait là-haut? ai-je demandé en mettant ma main sur ma bouche.

C'était une robe magnifique, recouverte de broderies, avec de petits brillants cousus dessus. On aurait dit de l'eau. Quand le bâton de Jesse la touchait, elle scintillait.

— Je tiens pas vraiment à le savoir, a-t-il répondu en s'éloignant après avoir jeté le bâton.

M'agenouillant, j'ai pris la robe dans mes mains. Elle était déchirée d'un côté, jusque sous le bras. J'ai fait courir mon doigt dans le trou. Une perle grossière est tombée, ses minuscules facettes biseautées reflétant la lumière. Je l'ai ramassée, j'ai essuyé la poussière, puis j'ai plié la robe avec soin avant de la remettre dans l'arbre, coincée dans un nœud que j'avais réussi à atteindre sur la pointe des pieds. J'ai posé la perle solitaire dans ses plis et je l'ai flattée.

Jesse, parfaitement immobile, regardait le vide au fond du fossé. En m'entendant approcher, il s'est retourné, l'air grave.

— Ça va? lui ai-je demandé en écrasant des feuilles et des brindilles sous mes pas.

Il a pris un moment pour respirer avant de se tourner vers moi.

— Sais pas, a-t-il répondu, ses yeux renouant bien vite avec le sol. J'aurais tellement…

Pause au cours de laquelle l'eau du fossé a tenté de s'écouler, peut-être même de gargouiller. Jesse a soupiré.

— C'est triste à chier.

— Je sais, mon chou.

— J'aurais tellement aimé faire quelque chose.

Je me suis essuyé les yeux.

— Moi aussi.

Nous n'avons rien dit pendant une minute. Nous avons juste écouté les bruits qui descendaient de la route, de petits souffles de vent qui venaient jusqu'à nous, nous caressaient.

— Jesse…

Je regardais ce qu'il regardait, c'est-à-dire l'eau du fossé qui cherchait à se frayer un chemin au milieu des capotes et des bâtons de popsicle.

— … j'aurais voulu faire quelque chose avant, tu sais… avant…

Du coin de l'œil, je l'ai vu en train de secouer légèrement la tête. J'ai pris une profonde inspiration.

— Je suis désolée, Jesse.

— C'est pas ta faute, a-t-il marmonné.

— Ouais, mais j'ai rien fait. Je suis même pas allée te voir ni rien. Je… J'ai tout fichu en l'air. Jesse. Et je suis désolée.

Un des bâtons de popsicle, détaché du tas d'ordures, a franchi une quinzaine de centimètres avant de se coincer dans un autre amas de merde.

— Cassy…

Je l'entendais à peine.

— Je…

Il a hésité un long moment.

— Ça va. D'accord?

— D'accord.

Je me suis rapprochée de lui, puis j'ai passé mon bras autour de sa taille. Il m'a serrée contre lui.

— On est deux cinglés, pas vrai?

Il a poussé une sorte de grognement nasal. Puis il a hoché la tête.

— Écoute, Cassy, a-t-il bredouillé à l'intention du fossé merdeux, l'autre jour…

— Quoi?

J'ai levé les yeux sur lui.

Il s'est tourné vers moi et nos regards se sont croisés. Pendant un moment. À l'instant où il tournait de nouveau son attention vers le sol, j'ai vu un petit sourire se former sur ses lèvres, sa dent de travers surgir avant le reste.

— Tu sais…

Il a passé sa main dans ses cheveux et pour ainsi dire haussé les épaules.

— … ça m'a fait tout drôle de te revoir… Je savais pas vraiment quoi faire…

— Qu'est-ce que tu veux dire? ai-je demandé en lui donnant un petit coup de hanche. Qu'est-ce que t'avais envie de faire?

Il a ri doucement, les yeux toujours cachés, en cherchant quelque chose dans la saleté.

— Et puis merde, a-t-il dit en m'attirant vers lui.

Le serveur nous apporte des menus, nous demande ce que nous voulons boire.

— Whisky, dis-je. Une bouteille.

Il hoche la tête, s'apprête à partir.

— Un instant! s'écrie Owen. Et moi, qu'est-ce que je vais boire?

Il est arrivé des choses. Des choses qui n'étaient jamais arrivées. Du moins entre nous. Il a cessé de bouger, a levé les yeux sur moi. Sa tête reposait dans la poussière, des brindilles et des bouts de bois s'accrochaient à ses cheveux raides et ternes. Je ne voyais que ses yeux presque blancs.

— Cassy…

On aurait dit un souffle plus qu'un mot. Ouverte, je l'ai regardé.

— Quoi?

Là, j'étais en compagnie du garçon de la ferme voisine, debout sur le châssis d'un vieux tracteur tout rouillé, toujours équipé d'une moissonneuse, dont les dents géantes mordaient le crépuscule.

— Ça va? m'a-t-il demandé.

— Ouais.

Pause.

— Non, non, ai-je répondu. Ça va pas du tout.

Il a pris ma main dans la sienne.

Nous avons mangé des huîtres. Nous avons bu du whisky. Nous avons même bu du vin.

Owen me regarde, me sourit, espiègle.

— Chienne, dit-il.

Je lui rends son sourire, plus franchement.

— Salope, dis-je.

— Donne-moi la main, a dit Jesse.

J'ai fait ce qu'il demandait.

Il a sorti le canif qu'il portait toujours sur lui, un petit truc au manche nacré qu'il jurait tenir de son père, d'une femme quelconque, d'une guerre quelconque. Il m'a coupée. En plein dans la paume. Puis il m'a tendu le couteau.

Je l'ai pris. Il était un peu plus petit que ma main, mais sa largeur et son poids compensaient sa petite taille. J'ai baissé les yeux sur Jesse. Les paupières closes, il me tendait la main, paume en l'air. Des cicatrices la traversaient dans toutes les directions.

— T'as déjà fait ça ? lui ai-je demandé.

Il a rouvert les yeux, puis il les a levés sur moi.

— Jamais.

J'ai coupé sa paume, de part en part.

— Je n'ai jamais été aussi insulté de toute ma vie ! s'exclame Owen, haletant, en lançant sa serviette en tissu. Tu dois t'excuser, sinon les enfants vont finir en thérapie ! Je suis sérieux !

— Quoi ? Qu'est-ce que tu dis ?

— Ce que je dis, petite mademoiselle, c'est que je suis à deux doigts de te quitter !

Je pose la main sur ma poitrine, feignant l'évanouissement.

— Owen, non !

— Si ! J'en ai ma claque ! Toute la journée, je m'occupe de tes costumes, de ta carrière, de ta santé, de ton bien-être. Un vrai esclave. Toi, toi, toi, toujours toi ! Eh bien, j'en ai ras-le-bol ! L'autre jour, un des enfants m'a demandé : quand est-ce que maman revient ? J'ai dû mentir ! Pour toi ! Pour toi, tu m'entends !

Il attrape le foulard en soie qu'il avait posé sur le dossier de sa chaise, l'enroule autour de son cou d'un geste théâtral et sort en trombe.

— Attends-moi, chéri ! Tu sais bien que c'est toi que j'aime !

En proie à un désarroi larmoyant, je m'élance à sa suite en bousculant deux ou trois serveurs.

Cinq coins de rues plus loin, nous tombons dans les bras l'un de l'autre, aux prises avec un fou rire dément.

— Doux Jésus, s'exclame Owen, j'ai drôlement besoin d'un daiquiri !

Au réveil, c'était l'horreur. Le simple fait de respirer m'épuisait. J'ai donc retenu mon souffle le plus longtemps possible.

Je suis restée allongée sur le lit que nous avions improvisé par terre à l'aide des coussins du canapé de la chambre d'hôtel que je partageais avec Thom et Ricky. Je n'avais pas mis les pieds à l'école depuis trois jours, et je suais abondamment par tous les pores de ma peau. Depuis trois jours, je n'avais rien gagné, mais je n'avais rien mangé ni bu non plus. Mon refus de consommer faisait contrepoids à mon oisiveté. L'horloge indiquait 12:00 comme toujours, parce qu'il y avait eu une panne d'électricité longtemps avant et que personne, ici, n'avait d'horaire à respecter. Personne ne s'était donc donné la peine de régler l'heure, et l'horloge clignotait : 12:00… 12:00… 12:00, mais la lumière du dehors laissait entendre qu'il était plutôt deux ou trois heures de l'après-midi. Ce sont les véritables heures crépusculaires, celles où rien n'arrive, où le seul fait de se réveiller ou de rester au lit à ne rien faire semble parfaitement irréel. Tout le monde s'affaire, les six milliards d'habitants de la planète travaillent, étudient, rigolent. Sauf moi.

C'est très libérateur.

J'ai fermé les yeux. Ils me faisaient mal, la lumière leur faisait mal. Entre les coussins, là où ils s'étaient écartés les uns des autres, je sentais le sol. Thom et Ricky étaient sortis. En principe, j'aurais pu grimper sur le lit, qui leur revenait de droit, mais il était beaucoup trop loin. Mon corps était lourd, j'avais mal partout, bouger penser respirer me faisaient mal. Je ne me souvenais plus de la dernière fois que j'avais eu envie de faire pipi ni de la dernière fois que j'avais mangé ni de la dernière fois que j'avais ressenti le besoin d'absorber ou d'éliminer quoi que ce soit. Je n'avais pas chaud, mais la couverture était trempée de sueur, glacée. Je me suis rendu compte que j'avais froid, en fait. J'ai serré ce machin brun et mouillé contre moi. Tout d'un coup, j'ai eu chaud et je l'ai repoussé, inutilement. La lumière qui entrait par la fenêtre crasseuse s'est tachée de brun. Je m'en suis aperçue parce que mes yeux, que je croyais fermés, étaient ouverts. Alors que je les croyais fermés, ils étaient ouverts.

Et.

J'étais dans l'étable. Elle était bleue, cette fois, et tapissée de fleurs des fièvres, d'un rouge et d'un violet éclatants, leurs pétales de la taille de ma tête, qui était petite. Pour ouvrir la porte, je devais me hisser sur la pointe des pieds et pousser de toutes mes faibles forces. Le dedans était plus grand que le dehors, et de loin. C'était un champ, un immense champ de maïs. La lune qui trônait au-dessus était d'un jaune délavé, comme du jus de pomme. Mais dans un coin, là où était la tache de sang que je savais retrouver sans l'aide des vaches, il y avait de petites poches de gris. Des morts.

Une toute petite est venue vers moi et m'a prise par la main.

— Cassy?

Je me suis retournée, la couverture entortillée autour des jambes, les cheveux poisseux plaqués à mon crâne. Je n'arrivais pas à ouvrir grands les yeux. Ils ne fonctionnaient pas encore normalement.

— Ça va, mon chou?

J'ai fait oui de la tête. J'ai essayé, en tout cas.

— Bois ça. Tu te sentiras mieux, après.

C'était chaud et sucré. Encore une potion homéo-pathique signée Thom.

J'ai bu à petites gorgées en essayant d'ouvrir les yeux. J'y suis arrivée juste à temps pour voir maman sortir.

— Maman?

Je me suis assise dans le lit. Erreur. Je me suis effondrée d'un coup, lourdement. Le trou noir, bébé.

Et c'était une pièce entièrement déserte, moi exceptée. Les murs étaient peints en jaune bouton d'or, couleur que j'avais détestée à chaque instant à l'époque où la chambre était à moi. Il y régnait une lumière comme dans les films, les murs étaient lisses et neufs. Pas de bouts de ruban gommé ni même un trou de punaise. Sur le mur, il y avait un autocollant, à droite de l'endroit où se trouvait mon oreiller, les jours où je lisais, les jours où il faisait trop mauvais pour que je joue dehors. Dessus, on voyait, en short et en patins à roulettes, une fille à la tête de chat qui levait les pouces d'un air enthousiaste. Dans le ballon, au-dessus de sa tête, il était écrit, en gros caractères roses, SUPER! La peinture et l'autocollant étaient déjà là à mon arrivée. Ils assistaient maintenant à mon départ. J'étais allongée par terre parce que c'est tout ce qu'il restait. Dans les coins, il y avait de gros chatons de poussière, d'une rondeur parfaite. On les aurait dits fabriqués par un artisan. Certains d'entre eux étaient gonflés à cause des blocs Lego, des armes, des roues de voiture et des bouts de poupées qu'ils avaient avalés. J'ai fermé les yeux pour m'imprégner de cette image. J'ai entendu des pas au pied de l'escalier. Je n'ai pas rouvert les yeux.

— Tu viens, Cassy, a dit la voix de maman quelque part au-dessus de moi. On t'attend, mon chou. C'est l'heure, d'accord?

Puis ses pieds se sont éloignés.

— Super, ai-je dit à l'intention du plancher.

Il s'est mis à onduler sous mon souffle.

Quand j'ai rouvert les yeux, maman était partie. J'avais mal à la tête. Le verre vide, un verre en plastique rose portant l'empreinte des centaines de personnes qui l'avaient utilisé, était posé sur la petite table à côté de moi. J'avais la tête à plat sur le sol, le cul en l'air. La chambre d'hôtel était encore vide. À en juger par la lumière du dehors, environ une heure s'était écoulée.

J'avais, sur le crâne, une bosse qui avait déjà commencé à enfler. Je ne me souvenais pas d'être tombée. C'était pourtant ce qui m'était arrivé. À moins que je n'aie été frappée par une brique. La chambre était silencieuse, alors j'ai grimpé dans le lit, je me suis installée au milieu et j'ai fermé les paupières.

Je crois que je me suis endormie.

Intermède avec la tête et quatre doigts

J'étais à bord d'un bateau qui n'était ni en mer ni à moi. J'étais saoule, j'étais pétée, il faisait noir. Je m'étais faufilée dans l'interstice graisseux entre la clôture grillagée et les hautes piles sombres. Au passage, mon dos s'était enduit d'une épaisse et poisseuse couche de graisse ancienne. Pas bien grave puisque je portais mon vieux blouson en cuir, noir lui aussi et déjà plutôt crasseux. J'avais titubé en longeant les quais, un deux trois. De petites merdes en fibre de verre, des péniches hideuses, de petites embarcations conçues pour naviguer au milieu de moutons de trente centimètres. Des dinghys indignes étaient suspendus pareils à des bébés indiens à la poupe bombée de vaisseaux blancs et carrés aux noms ronflants genre Tahiti Princess. De la merde, que de la merde, jusqu'à ce que je le voie, lui.

Il était petit et ses voiles étaient carguées, mais il était blanc et noir, en bois. Il avait l'air de suivre les vagues. Bas sur l'eau. À son bord, j'aurais vraiment l'impression d'être en mer. Je suis montée.

D'une certaine façon, les bateaux sont toujours plus nets que les habitations campées sur la terre ferme. Les objets doivent être rangés, sinon ils risquent d'être emportés par les vagues, soulevés par le vent, perdus. Pas de place pour les déchets, les petites touches personnelles, la décoration. Tout doit être fonctionnel. Ce bateau était impeccable, solide et verrouillé. Je me suis assise à la proue, les pieds ballants. Entre mes jambes, le beaupré, à l'oblique, traversait l'obscurité. On aurait dit que j'avais une queue.

De ma main, j'ai fait un sextant.

— Ramone, ai-je dit.

Et il était là, sorti de ma poche. Je le tenais dans ma main gauche, tandis que la droite prenait des mesures.

Il a contemplé la mer.

— Tu crois qu'il y a un décalage implicite entre les choses ? Qu'il y a entre elles un voile, une membrane ou je sais pas quoi ? Tu crois que, quand on est une chose en particulier, on doit rester comme ça jusqu'à la fin de ses jours ?

Il m'a regardée.

— Ouais, un peu. Et alors ?

Pause.

— Oui, je sais, je suis bêtement introspective après avoir fumé de la mari. Qu'est-ce que ça peut te faire ? Fais-moi plaisir. Nous sommes toujours séparés, toi et moi ? Ou quoi ?

Pause.

— Si c'était aussi évident, chère tête, je poserais pas la question.

Pause.

— Oui, la preuve en est que je te pose la question et le fait que je connaisse pas ta réponse montre bien que tu es une entité distincte de mon petit moi, sauf que, mon coco, tu vis dans ma tête.

Pause.

Pause.

— C'est minable, hein?

Pause.

— Je vois pas le rapport. J. D. Salinger… Dis donc, t'essaierais pas de détourner la conversation, par hasard?

Pause.

— C'est une image magnifique.

Pause.

— Impossible d'accrocher un corps si tout est en soi? C'est tout? C'est tout ce que tu trouves à me répondre? Merde, mon vieux, pour un peu je te renverrais à l'usine.

Pause.

— Je sais bien que tu viens pas d'une usine, c'était juste une blague, ha! ha! C'est bon, c'est bon, j'ai compris, mon pote. Sacrée façon de te montrer impénétrable.

Assis, nous avons contemplé les étoiles, l'eau sombre où luisaient des plaques visqueuses à cause du mazout qui flottait dessus. La demi-lune un peu jaune et le clapotis des infimes vagues de la marina butant contre le flanc de l'embarcation ont failli m'endormir.

— Dis donc, Ramone.

Pause.

— T'as pas le goût d'aller faire un tour?

Il n'y avait pas beaucoup de vent. Pour une raison ou pour une autre, le moteur, intact, était resté à bord. Il y avait la clé et tout le reste. C'était comme si le bateau me suppliait de le faire démarrer.

C'est donc ce que j'ai fait.

En rentrant à la maison, après l'école, je me suis arrêtée pour parler à Fister, qui me devait une faveur, et je suis passée devant Pig et Leila qui, pourvu chacun d'un œil au beurre noir par suite de circonstances particulières, faisaient leur vieux numéro de couple épileptique et demandaient aux passants de l'argent pour acheter des médicaments. Contre l'épilepsie et non pour le plaisir. Vous n'avez pas idée des millions qu'ils ont accumulés par ce moyen. Ce qu'il y a, c'est que Thom était épileptique pour de vrai. Ils m'ont saluée de la main et je les ai gratifiés d'un signe de tête sans ralentir. À l'hôtel, la porte de la chambre était ouverte, encore une fois, et il n'y avait personne. C'était sans importance, remarquez. Comme le disait Ricky, quiconque se donnerait la peine d'entrer ici par effraction devrait avoir au moins la courtoisie de nous laisser six canettes de bière. Le lavabo était encombré de vaisselle sale, détail curieux puisque personne d'entre nous ne mangeait jamais, en tout cas pas ici. Le lit était défait, le vieux drap troué ponctué de nœuds à cause des contorsions de somnambules, les coussins du canapé en désordre sur le sol. Partout des bouteilles vides. Dans les cendriers débordants, chipés à gauche et à droite, on voyait toutes sortes de trucs qui se consument et sont amusants. Il y avait aussi un pince-joint vide, une pipe. Je m'en suis servie deux ou trois fois, puis je suis allée me débarbouiller la figure à la salle de bains au bout du couloir. Un vieux type, un nouveau, de toute évidence, a ouvert la porte pendant que j'y étais. Il avait des fixe-chaussettes. Je ne savais pas que des personnes en chair et en os en portaient. J'ai fini de m'essuyer le visage à l'aide de ma petite serviette miteuse.

— Super look, ai-je dit en le contournant.

Son cul dépassait de son caleçon jauni, et il m'a suivie de ses petits yeux de fouine pour s'assurer que je n'allais pas rebrousser chemin et m'enfermer dans la salle de bains pour y faire les horreurs que les filles y font éternellement.

— Écoute, lui ai-je dit en m'arrêtant un moment pour tout lui expliquer, sans savoir pourquoi, la chaussette rouge sur la poignée veut dire qu'il y a quelqu'un. D'accord? C'est, comment dit-on? Un signal. La serrure est cassée.

Il m'a fusillée du regard avant de refermer. J'ai feint de rendre la pareille à la porte puis j'ai gaiement retiré la chaussette rouge.

J'ai fumé deux ou trois pipes de plus en regardant la lumière se transformer. Quand il n'y en a plus eu (la lumière, pas la dope), je me suis étiré les jambes. Elles étaient ankylosées à cause du temps que j'avais passé assise sur le sol froid. J'ai enfilé mon blouson et je suis sortie. J'avais des choses à faire.

On peut se faire du mal avec presque n'importe quoi. Même avec les choses réputées bonnes pour nous. Prenez un flacon de vitamines au complet et vous verrez de quoi je parle.

Je suis sur la route. Couchée sur la ligne jaune, au milieu de la chaussée, au milieu de nulle part, au sommet d'une colline, en pleine nuit. J'ai perdu Owen de vue entre deux daiquiris. Rien de grave puisque c'est ainsi que se terminent presque toutes nos sorties. Je le perds ou c'est lui qui me perd, alors tant pis. Nous finissons toujours par nous retrouver, un autre jour. Je n'ai pas envie de rentrer chez moi. À vrai dire, je n'ai envie d'être nulle part, et c'est dans des moments comme celui-là que j'ai l'impression d'avoir appuyé sur la touche pause, que je me sens la plus lente et la plus paisible possible.

Tout est tranquille, ici. Il y a des arbres partout, tout autour de moi, et une brise légère agite les branches. C'est ainsi que je sais que la Terre est ronde et minuscule, qu'elle se résume à presque rien. Je suis un grain de poussière sur un petit pois et je sens ma tête tourner. Je joue avec l'auto miniature en métal sans la regarder. Je me contente de lui faire décrire de tout petits cercles autour de moi. Elle est peinte en jaune métallique et il y a *70mph fast* marqué dessus. Je fais tourner les pneus avec mon doigt. Combien de tours/

minute pour que ce bolide dépasse les soixante-dix milles à l'heure?

Je le laisse aller, dévaler la côte. Il roule plutôt vite. Il descend, descend la colline, ses petits pneus se bloquent au lieu de rouler, mais il file malgré tout. Il se redresse pendant un moment avant de faire des tonneaux, puis il se retourne et glisse sur son petit toit, poursuit sa course en bondissant. Je ne le perds pas de vue. Il descend, je dois l'avouer, à plus de soixante-dix milles à l'heure, tel un point clignotant dans le noir.

Je le retrouve en bas, écrasé au fond d'un caniveau inondé. Il contemple les étoiles. Dans le parking couvert, au bas de la côte, un type joue de la guitare. Je l'écoute un moment, puis il se retourne et me salue de la main. Je le salue à mon tour et je vais chercher ma petite auto, je la mets dans ma poche et je fais tourner ses roues.

J'ai trouvé Thom en train de danser dans un enchevêtrement de cuir, de plastique et de basse. Aucune trace de Ricky ni des gains de la journée, sinon qu'elle était pétée, bourrée, complètement partie.

J'ai crié malgré la musique qui battait, battait lourdement dans mon sang, le faisait courir plus vite.

— Jesse! ai-je hurlé.

Elle m'a regardée, puis elle a haussé les épaules avant de faire non de la tête.

— J'l'ai pas vu! a-t-elle hurlé à son tour.

J'ai secoué la tête. Ensuite, je l'ai attirée vers moi et je lui ai crié dans l'oreille :

— Il est mort !

Elle m'a repoussée et s'est mise à rire.

— Va t'faire foutre ! a-t-elle hurlé.

Je suis partie.

Une de mes tâches consistait à faire le ménage de l'arrière-boutique, ce qui n'était pas une mince affaire, vu que le magasin de Charlie étendait ses tentacules sur tout le coin de rue qu'il occupait, pareil à un lichen, une moisissure, un champignon. Sans donner l'impression de se déplacer, l'établissement s'étendait, empiétait indistinctement sur des hectares, des forêts et des voisins, ce qui avait donné lieu à d'âpres débats entre lui et la fleuriste, établie à trois portes de là, au sujet des limites réelles de sa propriété. L'arrière-boutique renfermait assez d'articles pour apprendre à une nouvelle espèce à peine débarquée sur la Terre tout ce qu'il y a à savoir au sujet de l'humanité. Il y avait de tout, là-dedans. Dans les caisses qui s'empilaient sur le sol, on trouvait de l'encens, des chandelles et d'innombrables boîtes de capotes de fantaisie, dont certaines brillaient dans le noir, avaient de drôles de têtes d'animaux, arboraient des portraits de saints ou même de petits bouts de psaumes et de prières. On y trouvait aussi des tablettes encombrées de flacons de parfum, de sacs de poudre, de pinceaux pour le maquillage, la calligraphie et la peinture, de boîtes de peinture, de boîtes pour la mari, de petites boîtes décorées munies de faux fonds où cacher d'infimes objets illicites ou les secrets qu'on préfère en gros oublier mais qu'on tient à pouvoir retrouver au besoin, de boîtes pour les cigarettes, de flasques, de bouteilles et de briquets de même que quelques croisements branchés des trois, de calendriers marquant le temps à l'orientale et à l'occidentale, les congés lunaires indiqués sous des dragons dansants et les congés officiels sous des images de voitures, de pipes à haschich, de strings, de soies de porc et de jeux. Vous aviez besoin d'une brosse à cheval? Nous l'avions. Besoin d'un médicament en quantité suffisante pour un cheval? Nous l'avions aussi. S'il vous fallait une figurine toute difforme pour votre collection, un cadeau de noce, des baguettes à riz pour quatre-vingts convives ou un vase géant, le mode d'emploi pour la culture des jacinthes, un sac de bonbons, sucrés ou sans sucre, un bouquet de ballons ou de fleurs pour une nouvelle maman, un berceau pour un bébé ou peut-être même, tiens, pourquoi pas, un bébé, nous pouvions vous satisfaire. Bon, d'accord, le bébé, c'était celui de Liliane, mais elle vous aurait sûrement permis de le faire sauter sur vos genoux si vous aviez été mort d'envie de humer un nouveau-né ou je sais pas quoi. C'est sans parler des denrées vendues à l'avant, comme les chips, les calmars séchés *(Assurez-vous d'en faire ample provision!)* et le thé à bulles, ni du présentoir à magazines, où de minuscules vedettes asiatiques étaient empilées sur des lutteurs et des poissons. Charlie achetait des caisses de livres à Judy, la femme qui tenait une toute petite librairie dans un autre coin de la ville et qui, au marché aux puces hebdomadaire, occupait infatigablement un stand. Elle emballait ce dont elle n'arrivait pas à se débarrasser et nous le vendait ou nous l'échangeait pour presque rien. Ces livres s'étalaient sur une tablette qui, tout en haut, presque à la hauteur du plafond, faisait le tour du magasin. Pour bouquiner, on avait intérêt à se munir d'une bonne échelle.

Je me faisais souvent payer en livres. Vers la fin, remarquez, c'était plutôt en pilules. Et puis après, j'ai pour ainsi dire disparu.

Thom ne s'est pas lancée à mes trousses.

J'ai donc marché jusqu'au bord de l'eau en traversant Junkytown, au-delà du magasin d'escompte où, dans la lumière oblique, de jeunes mères et des vieux qui puent attendaient la fourgonnette de la banque alimentaire. J'ai aussi croisé deux types qui se battaient, une ambulance rangée près du trottoir, un ambulancier agenouillé près d'un amoncellement de cuir et de sang (la même scène exactement se répétait de l'autre côté de la rue). Les chauffeurs grillaient une cigarette au coin. Rien ne pressait dans ce cas-ci, encore moins dans ce quartier.

Un jour, j'ai entendu un de ces types déconseiller à quelqu'un d'appeler l'ambulance puisque les chauffeurs sont nombreux à ne pas vouloir s'aventurer dans ces parages. Il était préférable, a-t-il dit, de prendre un taxi. Le mieux, c'était encore de marcher jusqu'à un autre quartier parce que les chauffeurs de taxi n'aiment pas trop celui-ci, eux non plus. De toute évidence, il n'avait jamais passé beaucoup de temps par ici. La plupart des habitants du quartier aimeraient mieux donner leur testicule droit que de faire appel aux ambulanciers ou à des fonctionnaires dans leur genre : en effet, les types en blanc et les types en bleu, il n'y a pas grand-chose qui les sépare. D'ailleurs, la plupart des résidents ont une solution de rechange, moins plaisante sans doute que les hôpitaux où des femmes vêtues de blanc arpentent des couloirs sans faire de bruit, mais quand même. La caravane passe.

Un des junkies était enveloppé dans un sac mortuaire en plastique blanc craquant. La grosse fermeture éclair, en se serrant sur sa tête, avait coupé sa dernière vision. Inutile de lui coller une étiquette : il n'avait jamais eu de nom.

J'ai continué à marcher.

C'était un vendredi soir, et j'étais en train de faire du ménage dans l'arrière-boutique. Beaucoup de jeunes refusaient de travailler le vendredi soir, mais moi je m'en foutais. Mon week-end, je le prenais quand bon me semblait. À l'intérieur, il n'y avait que moi, Liliane et le bébé. Charlie était sorti faire une course. Un type vivant dans une roulotte à l'autre bout du monde avait téléphoné. Il avait des choses susceptibles d'intéresser Charlie.

— Encore un foutu Blanc qui a cassé sa pipe, a dit Charlie. Un lecteur de rubans à huit pistes, des médailles militaires et des boîtes en métal remplies de papiers qui ne veulent rien dire pour personne. Des photos de famille. Peut-être quelques vêtements miteux. Mais, a-t-il ajouté en haussant les épaules, peut-être aussi un trésor.

Il courait toujours sa chance, Charlie, et finissait le plus souvent par laisser le gros des articles dans la roulotte, le garage ou ailleurs, triait le reste sur le chemin du retour, déposait les déchets dans des boîtes ou des friperies, qui se comptaient par millions. Il lui arrivait aussi de sauter par-dessus les intermédiaires et de se débarrasser du trop-plein dans la rue, pour rien, et de ne rapporter à la boutique que ce qui, pour une raison ou une autre, avait frappé son imagination. C'est ainsi que nous avions fait l'acquisition de Louis, le gros corbeau empaillé et puant perché au-dessus de la porte, et de Lenore, la déesse des limaces. Allez savoir pourquoi, ces objets, qu'il jugeait hilarants, le faisaient rire tous les jours.

— Ah! je te vois, disait-il en montrant l'un ou l'autre de ces machins, suspendus aux deux extrémités de la boutique. Jamais plus!

Et il riait, riait, riait.

J'étais dans l'arrière-boutique, mon tablier bourré de couteaux, d'élastiques, de trois sortes de ruban gommé et d'un pilulier transparent, comme ceux dans lesquels les vieilles dames rangent les médicaments qui leur permettent de tenir toute la semaine. Mes pilules à moi m'aidaient à tenir toute la semaine, ou peu s'en fallait, mais je n'irais pas jusqu'à dire qu'elles étaient rangées, ni moi non plus. J'ai gobé un comprimé du mercredi, puis j'ai grimpé à l'échelle qui enjambait tout le bric-à-brac. Juchée là-haut, je me suis mise à lire.

Échappant aux lumières basses et sales de Junkytown, j'ai marché jusqu'au bord de l'eau. Ils avaient dit quelque part par ici. Quelque part par là. J'ai avalé une pilule du dimanche, que j'ai fait descendre en trois gorgées, et je me suis perchée.

Je suis remontée sur la colline dans l'intention de recommencer.

Je rentre chez moi par le chemin le plus long, même si, quand on revient de si loin, ils le sont tous. Je suis la voie ferrée, où ne passent que des trains de marchandises, leurs gros wagons vides au sortir de la ville. Seulement, ce soir, il n'y a pas de train. Que moi. Au pied de la colline, là où les rails obliquent à droite, vers le nord, je descends et je m'enfonce dans le noir absolu, un noir que peu de gens connaissent de nos jours, un noir tel qu'on a du mal à croire que quelqu'un a un jour inventé la lumière.

Je rentrais à pied en transportant un putain de gros trophée qui m'arrivait à la taille. Dessus, il y avait un type qui lançait un poids. La fille était appuyée contre le mur du magasin du coin. Des bottes de caoutchouc noires, des bas trois-quarts blancs et un mini-short rose. Un chapeau de cow-boy en paille. Une sucette dans la bouche. Un t-shirt des Mötley Crüe noué serré sous les seins. Je l'avais vue à l'école, habituellement adossée à un casier, ses cheveux couleur rouille lui tombant dans le cou, qu'un garçon mordillait invariablement.

— Dis donc! DIS DONC! FÉLICITATIONS! s'est-elle écriée en agitant vers moi sa sucette rouge feu.

Je me suis arrêtée et j'ai posé le trophée par terre. J'avais les cheveux encore mouillés.

— Merci, ai-je dit.

— T'viens just' de l'gagner? a-t-elle demandé en tendant le menton vers le trophée et en mâchouillant la sucette qu'elle s'était fourrée dans la gueule.

J'ai baissé les yeux. Le type qui faisait du lancer du poids avait des cheveux figés parfaits, où on distinguait les marques du peigne.

— Ouais, on peut dire ça.

— Comme cha tu fais du lancher du poids? T'es pas un peu p'tite pour cha? Fais voir tes bras!

Elle m'a attrapé le biceps, l'a serré, en a éprouvé la fermeté.

— Toi? Du lancher du poids? Jamais d'la vie. Qu'est-che t'as fait pour gagner?

J'ai réfléchi à la question.

— De la natation?

Elle m'a examinée de la tête aux pieds d'un air inquisiteur. Elle a sorti la sucette de sa bouche et s'en est servie pour prendre mes mesures, puis elle a hoché la tête, une seule fois.

— Ça, ça colle. T'as les épaules qu'il faut. Bravo. Allez, reste pas là. Ça se fête! Qu'est-ce que tu veux faire?

J'ai haussé les épaules.

— Je sais! Allez, viens. Ça va être génial!

Elle a agrippé ma main et m'a entraînée dans la rue. À peine si j'ai eu le temps d'attraper mon trophée.

Je connais des gens qui ont peur du noir et qui dorment la lumière allumée, même en ville. Et en ville il ne fait jamais vraiment noir. On ne voit même pas les étoiles.

La petite rue débordait de vieillards assis au soleil en train de boire du café dans de minuscules tasses. Tous, ils parlaient avec leurs mains en se fendant de larges sourires.

— Thomasina! ont-ils crié à notre passage. Dis donc, Thommy! Où tu vas comme ça? T'as plus de temps pour tes oncles?

Elle a éclaté de rire.

— Mes oncles, mon cul! a-t-elle chuchoté dans mon oreille. Viens par ici.

Nous avons quitté le soleil radieux pour une pénombre fraîche et voilée. Il y avait là plusieurs rangées de tables de billard, d'autres vieux types qui visaient juste dans l'obscurité de midi, mâchouillaient les chicots brunâtres qui leur tenaient lieu de dents et siphonnaient tout le soleil en se donnant de drôles de noms. Tout le monde riait. Sur les écrans jaunes, on jouait au soccer. Les scores étaient répétés inlassablement, comme dans une prière. Au-dessus du comptoir, sur un écriteau taché de bave, quelqu'un avait écrit de travers RAPPORTEZ TOUTES LES BOULES. Je me suis appuyée sur le trophée, puis je l'ai calé bien en sécurité entre mes jambes. Quand la fille s'est penchée sur moi pour me dire de rester tranquille et me faire un bisou sur la joue, ses lèvres légèrement collantes à cause de la sucette, j'ai senti un arôme de cerise artificielle.

— Vittorio! a-t-elle crié au-dessus du comptoir. T'as des clientes, espèce de paresseux!

Un homme a sorti la tête. Le comptoir, sous le formica éclaté, avait la couleur des bas de nylon de maman, juste avant qu'elle les jette.

— Thomasina! Comment tu vas?

Il a souri en découvrant beaucoup trop de dents. Elles avaient la couleur des bas de maman, elles aussi. D'après ce que je voyais, l'homme était assis sur un cageot et lisait un album de bandes dessinées tout moisi, tiré d'une pile posée à côté de lui. Je me suis hissée sur la pointe des pieds dans l'espoir de voir les titres.

Elle a hoché la tête.

— Ça va, ça va. Et toi?

Les Dents a haussé les épaules.

— Bien, bien. Que puis-je faire pour toi, *contessa*?

— Eh bien, a-t-elle commencé en repoussant la masse de ses cheveux, mon amie ici présente vient tout juste de remporter une compétition de natation. T'as vu le trophée? Son entraîneur dit qu'elle pourrait un jour faire les Olympiques. Alors nous célébrons!

— Ah bon ?

Les Dents s'est tourné vers moi pour la première fois. Puis il a hoché la tête.

— Les Jeux olympiques, hein ? Félicitations.

J'ai haussé les épaules d'un air modeste.

— Ouais, alors… on se demandait… Tu crois, tu sais, que tu pourrais… ?

Elle a enroulé une mèche de ses abondants cheveux roux autour de son doigt et l'a fourrée dans sa bouche, l'a sucée pendant un moment. Puis elle l'a regardée d'un air mortellement ennuyé.

— Alors on peut fêter ça ?

Les Dents allait d'elle à moi aller-retour, puis il s'est dressé, soudain immense. L'homme a posé sur le comptoir ses deux paluches gercées, aux ongles rongés jusqu'au sang.

— Vous devriez aller faire une partie toutes les deux, a-t-il soupiré en se penchant sur nous.

Il y avait tout d'un coup dans l'air comme une odeur de viande faisandée.

Ici, il n'y a que du noir. Noir, et il n'y a plus de peau, noir et le son voyage plus vite, noir et les étoiles risquent de nous tomber sur la tête. Noir et tout est tiède comme ici à l'intérieur. Noir comme quand maman nous mettait au lit, nous bordait, nous lisait une histoire, nous embrassait les cheveux et nous laissait sous la lueur des étoiles, où, à nous deux, nous formions une seule bosse sous les couvertures.

Thom a souri comme si elle venait de gagner à la loterie.

— Viens! Cette table est libre! Apporte les boules, tu veux?

J'ai obéi sans même songer à rechigner. J'ai traîné le trophée, les boules en équilibre sur la hanche. Nous avons pris une table au fond. Le local n'avait pas de fenêtres. Le match de foot résonnait à tue-tête au-dessus d'une porte donnant sur la ruelle, où deux types fumaient, la cigarette au creux de la paume, comme dans les films de guerre. Plus jeunes que les autres, ils portaient des manteaux de cuir lisse qui leur descendaient jusqu'aux genoux. Ils avaient les cheveux gominés. Ils parlaient à voix basse en bougeant à peine les lèvres.

— Comme ça, je vais aller aux Olympiques, hein? J'aurais intérêt à commencer l'entraînement.

— T'as gagné un trophée, non? J'parie que tu pourrais y aller, aux Olympiques!

Elle m'a arraché le triangle des mains, s'est mise à placer les boules. Elle a levé les yeux au plafond tout troué en poussant un soupir sonore.

— Allez, dépêche! J'ai envie de fêter ça. Pas toi?

J'ai posé le trophée par terre, sur les carreaux criblés de trous, où de petits cratères rappelaient de lointains accidents.

— Sais pas. En fait, j'ai eu une journée plutôt merdique.

Elle a lâché les boules et, en se rapprochant de

moi, a soulevé un sourcil. Elle souriait largement, d'un air malicieux.

— Raison de plus, tu trouves pas?

La plage, où persistent des relents de la chaleur du jour, est un peu plus claire. Ma petite voiture attend calmement dans le creux d'un terrain vague. Une minidune de sable se forme peu à peu devant nous. J'ouvre la portière du conducteur et je m'installe au volant. Dans le vide-poches, il y a une flasque qui remonte à Charlie, autant dire au déluge, et deux ou trois verres à l'effigie de Don Ho, le visage gravé en rouge, qui reluque une danseuse de hula. Je me verse un verre, que je remplis à la hauteur des paupières somnolentes de Don. Je rampe jusqu'à la banquette arrière, où je conserve une vieille lampe de poche modifiée pour la lecture, une couverture et des oreillers.

Je lis depuis un certain temps, des bêtises à propos de l'avenir qui, soit en dit en passant, n'est pas du tout conforme à l'idée qu'on s'en faisait autrefois, quand j'entends un bruit différent de ceux dont j'ai l'habitude. Je jette un coup d'œil par la fenêtre. Il y a quelqu'un, un homme. Il me fixe.

Je me suis réveillée dans la pénombre d'une chambre. La lumière du couloir entrait par la porte entrouverte. La chambre ne m'était pas du tout familière. Il y avait, accroché à un rail vissé au plafond, un rideau aux plis jaune pâle. J'étais couchée sur un lit immense. J'avais mal au crâne et un machin dans le bras. Le machin en question était relié à un tube lui-même relié à un sac rempli d'une substance quelconque. Une substance rouge. Qui s'écoulait dans mon bras, goutte à goutte. Je ne sentais rien. Mais peut-être seulement parce que j'avais mal partout ailleurs.

Il s'avance vers la voiture et me fait signe d'enlever mon t-shirt. Je ne l'ai encore jamais vu de ma vie.

Quand j'ai rouvert les yeux, il faisait plein jour dans la chambre, la même qu'avant. Je ne savais toujours pas où j'étais. Le rideau, cependant, était tiré dans l'autre sens, et je ne voyais pas la porte.

Surgi de nulle part, un gros monsieur vêtu d'une blouse blanche est apparu.

— Bonjour, Cassy! a-t-il dit. Comment te sens-tu?

— Où est maman? ai-je demandé d'un air renfrogné.

— Elle est allée prendre un café. Elle revient tout de suite. Maintenant, mon ange, j'aimerais te demander quelque chose de vraiment facile. Tu veux bien?

— Où est Pony? ai-je demandé en croisant les bras sur ma poitrine.

Le machin s'est mis à tirer, alors j'ai décidé d'arrêter et je les ai remis sous les couvertures, un peu pliés.

— Tout ce que je te demande, c'est de suivre mon doigt avec tes yeux. D'accord ?

Il souriait juste avec sa bouche, comme les types à la télé.

Il a soulevé un doigt de sa main droite et l'a déplacé au-dessus de mes yeux. Puis il l'a rapproché avant de l'éloigner aussitôt. Je l'observais. Il a reposé sa main et m'a souri, plus à la manière d'une vraie personne, cette fois.

— Très bien, Cassy. Tout ce que tu as à faire, c'est de rester couchée et de guérir. Je vais revenir te voir plus tard.

Il m'a caressé le genou en me touchant à peine, puis il est sorti.

Je me suis de nouveau retrouvée seule.

Il rit, tout près de la vitre de la banquette arrière.

— Qu'est-ce que t'as, petite ? T'as peur que j'te fasse mal ?

Il sourit et se penche. Son gros visage immonde est encadré par les cartes postales et les lettres collées autour de la fenêtre.

— Non, mon pote, dis-je. Ça, ça me fait pas trop peur.

Il n'y avait pas grand-chose à voir, là, à part une fenêtre grillagée, un autre lit, vide, celui-là, un lavabo. Pas grand-chose à entendre non plus, sinon le drôle de bourdonnement qui venait de l'autre bout du couloir, une voix grêle et creuse qui, sans arrêt, appelait le médecin. Elle est sûrement malade, me disais-je. Pourquoi est-ce que personne ne l'aide?

— Relaxe un peu, petite. Avec moi, tu vas pas t'emmerder.

Il tend la main dans l'intention d'ouvrir la portière de devant. Elle est verrouillée, mais il est trop saoul pour s'en rendre compte. Il fait une nouvelle tentative. Pendant qu'il triture la poignée (il a l'air désorienté, l'aventure s'est transformée en test de Q.I.), je sors du côté du passager.

— Qu'est-ce que tu veux, au juste, espèce d'enculé?

Je bois au goulot de la bouteille que j'ai prise avec moi, à la fois source d'alcool et arme en puissance. Rudement commode.

Il me regarde, jette un coup d'œil dans la voiture. Non, comprend-il, il n'a pas affaire à deux personnes. Il se retourne vers moi.

— T'as envie d't'amuser, petite? T'as l'air d'une fille qui aime ça. Ha! Ha! Ha!

Il rit en contournant la voiture, sur laquelle il s'appuie pour garder l'équilibre.

Pony brillait par son absence. Comme maman. La peau de mon dos me semblait toute tirée. J'essayais de jeter un coup d'œil, mais c'est difficile de voir son propre dos. Ça me faisait mal au cou. La peau de mon front me semblait elle aussi toute drôle, tirée. J'ai posé mes mains dessus, l'ai palpée. Un bandage. Il y avait des boutons sur le côté du lit. Je me suis donc amusée avec eux pendant un moment. Le lit montait et descendait. Soudain, une femme habillée tout en blanc a fait son apparition dans la chambre.

— Tu as besoin de quelque chose, mon ange?

— Non, ai-je répondu.

Où avait-elle été chercher une idée pareille?

— Vous allez bien maintenant? lui ai-je demandé.

— Oui, évidemment. Pourquoi cette question?

— Je vous ai entendue appeler le médecin. J'ai cru que vous étiez malade.

Elle a souri.

— Tu es drôlement mignonne, toi.

Elle m'a caressé le genou en me touchant à peine et elle est sortie.

— Fous le camp, mon vieux. De toute façon, t'es trop saoul pour bander. Va donc retrouver ta femme. Je suis sûre qu'elle sera ravie de te voir.

J'ai eu beaucoup de mal à débiter mon petit boniment sans rire.

Il s'arrête, une pensée ayant peut-être pénétré la roue de hamster qui tourne dans son cerveau. Il est debout devant la voiture; je suis près de la portière du passager. Il me regarde et, pendant un bref instant, je jurerais qu'il est presque humain.

Puis il se rue sur moi.

J'ai baissé les yeux sur les draps blancs et frais. Un mince trait rouge en forme de croissant, tracé au marqueur peut-être, m'a regardée à son tour. On aurait presque dit un sourire.

Je le poignarde dans l'épaule, et il s'en faut de peu que je perde mon emprise sur le manche. La lame s'est enfoncée en profondeur et l'homme s'est cabré à une vitesse fulgurante.

— Chienne! T'es complètement folle! Merde!

Le sang lui pisse sur le côté gauche, et le choc, diluant l'alcool, a presque pour effet de le dégriser.

— C'est là que je porte le premier coup. Tu veux voir le deuxième?

Les yeux ronds, ensanglanté, il s'éloigne dans la nuit douce et bleue en titubant. Je grimpe sur le toit de la voiture et je m'allonge, la bouteille à la main. Là, j'entends les battements de mon cœur revenir peu à peu à la normale.

Je me suis roulée en boule sur le côté. La lumière, vive et nette, entrait à flots par la fenêtre grillagée. Les jambes serrées sous les draps propres et lisses, j'ai observé mes orteils, qui arrivaient à peine au milieu du lit. Plus je me recroquevillais, et plus j'étais petite. À force de me comprimer, j'ai fini par tenir tout entière sur l'oreiller, ou presque. Je n'étais retenue que par moi-même. Tassée, petite, pendant une seconde au moins, je n'ai presque pas eu peur.

Je suis allongée sur le toit et j'observe les étoiles occupées à leur manège habituel, pendant que mon cœur s'apaise. Vu l'alcool que j'ai ingurgité, la poussée d'adrénaline que je viens de me payer et ma bonne vieille propension à l'insomnie, je ne dormirai pas de sitôt. Mon cœur, cependant, s'apaise, s'apaise, s'apaise lentement, il recommence à pomper comme avant, comme mon cœur à moi, et la vie devient tolérable. Je respire.

Les Dents s'est avancé. Dominant Thom d'une tête, il lui a refilé quelque chose pendant que j'essayais d'empocher la huit.

— Bonne partie, mesdames? a demandé l'homme en coinçant ses mains sous ses aisselles.

Thom a éclaté de rire.

— Non, nous sommes pourries!

Je suis restée immobile, le bras tendu.

— Non, je suis pourrie, moi. Depuis une heure que Thom réussit des coups fumants!

Les Dents est secoué de rire. L'homme, heureusement, a renversé la tête, ce qui m'évite de voir dans sa bouche.

— Oui, a-t-il confirmé, toi, tu iras peut-être aux Jeux olympiques en natation, mais au billard, c'est elle qui gagnerait toutes les médailles!

Thom a roulé les yeux dans le dos des Dents qui s'éloignait.

— Comme si jouer au billard exigeait un talent particulier! Qu'est-ce que j'étais censée faire d'autre? Mon père travaillait ici toute la journée. Après la mort de ma mère, c'est devenu mon chez-moi, je suppose. Je sais aussi beaucoup trop de choses à propos du football. Tu parles!

Elle s'est tue un moment et elle a eu une drôle d'expression dans les yeux. Elle a secoué la tête, m'a souri largement et a enfoncé son chapeau de cow-boy sur ses yeux.

— À toi de jouer! Après, on fiche le camp, d'accord?

J'ai pris mon élan et j'ai laissé le coup partir.

Quelques secondes plus tard à peine, me semble-t-il, voici de Leppy qui rapplique.

— Debout, fille! dit-il en tapant sur la vitre. Debout!

Je ne me souviens pas d'être rentrée dans la voiture. Je ne me souviens ni d'avoir fermé les yeux, ni de les avoir rouverts. Je ne me souviens pas d'avoir dormi.

— Comment tu fais pour dormir en plein soleil, mon chou ? demande-t-il.

J'ai enfin réussi à m'arracher à la banquette arrière.

— Je ne dors pas, dis-je en désignant les poches sous mes yeux.

Je lui tends le sac dans lequel j'ai casé ses affaires. Il sautille sur son unique jambe, tape un air du bout de sa béquille.

— Je t'ai acheté quelque chose d'autre, Leppy.

— Pourquoi t'as fait ça ? J'ai déjà tout ce qu'il faut là-dedans, dit-il en secouant son sac.

— Attends… Voilà.

Il brandit l'objet en plissant les yeux, le fait tourner dans ses mains comme s'il n'avait encore jamais vu d'appareil photo.

— Euh, dit-il, qu'est-ce que je suis censé faire de ça ?

— T'es un voleur, pas vrai ?

— Pour ça, oui.

— Un bon.

— Le meilleur !

— Dans ce cas, à toi de jouer.

— Bien joué !

Thom battait des mains.

J'ai ri. La huit était toujours sur la table. La blanche, elle, se trouvait dans la poche du coin.

— Tout le monde sait ce que ça veut dire, Thom, même moi.

— Ouais ! T'as perdu ! Mais on a terminé, alors on y vaaaaaaaa !

Elle m'a prise par l'épaule et poussée vers la porte.

J'ai donné à de Leppy un rouleau de pellicule en lui recommandant de me le rapporter pour que je le fasse développer. Je rentre dans la voiture, ferme toutes les portières et m'installe sur la banquette arrière. Immobile, j'écoute le roulement de la mer, et la lumière du jour des autres entre à flots par les fenêtres. Je vois de Leppy marcher sur le trottoir, au loin, même si ce n'est pas vraiment un trottoir. Disons que c'est ce qui en tient lieu. En réalité, il s'agit plutôt d'un petit bourrelet d'asphalte bordant la route. Je le regarde s'éloigner jusqu'à ce qu'il ne soit plus qu'un grain de poussière, jusqu'à ce que la courbe de la route le soustraie à ma vue. Je me frotte les yeux. Plus de sommeil pour moi, merde. Ça, au moins, c'est sûr. Je sors pour aller je ne sais où. Aucune importance. Je me mets en marche.

Ce soir-là, j'étais rentrée tard chez maman. J'étais toujours la dernière couchée et la première debout. Je laissais en bas quiconque j'avais ramené avec moi, chut, et je montais l'embrasser et lui souhaiter bonne nuit. Elle se réveillait toujours à moitié, me souriait, disait qu'elle était contente de me voir. Je restais là, debout, jusqu'à ce qu'elle se rendorme.

Et c'était nous qui passions devant le dernier établissement ouvert qui arpentions la rue dans tous les sens glissant au milieu des voitures mouillées qui s'arrêtaient et repartaient, des têtes penchées laissaient sous elles des traînées de vomissures dans tous les tons de rose repu, des morceaux à moitié digérés de la cuisine de maman, du célèbre barbecue de papa, leurs stéréos crachaient des sons de baise qui secouaient les voitures, comme si les remorques se balançaient mais il n'y a personne à la maison mon vieux, ces garçons boum boum boum, le bras sorti par la fenêtre au cas où un cul leur passerait sous la main. Ils sifflaient les filles et c'était le seul moyen qu'ils avaient de pincer des fesses. Les lumières s'éteignaient, on fermait avant de rentrer à la maison, et les cercles de néon pâlissaient peu à peu jusqu'à l'aube. Mais. Là où nous allions, il n'y avait pas de néon, du moins pas vraiment. Que des voyants lumineux, surtout rouges et jaunes, des lions dorés à gauche et à droite et de toute manière. Nous. Des jeunes en cuir, des jeunes travestis, des jeunes avec du rouge à lèvres et du vernis à ongles, nombre d'entre nous armés d'un couteau. Des gangs en tous genres, que d'autres appelleraient des meutes ou des cliques, des frères et des sœurs que certains qualifieraient même de familles, mais bon, c'était nous, point. Des enfants chinois et des enfants blancs et des enfants bruns, et nous en voulions à mort à quelqu'un en particulier, ou encore au monde entier dans certains cas, mais vous savez on avait à chaque instant le sentiment que quelqu'un allait se faire faire la peau. Parce que certains vous savez s'énervaient beaucoup pour ça. Nous étions tous dans le même bateau, comme on dit des familles à la télé. Du simple fait d'être là. C'est tout.

Du haut de la benne à ordures, il était facile de faire descendre l'échelle de secours et de grimper sur le toit. Thom m'a suivie. C'était plus rapide de l'intérieur, mais Charlie avait tout fermé depuis longtemps, puis il était rentré avec Liliane pour trier ses vieilleries.

— Dis donc! s'est écriée Thom. C'est génial! C'est à toi?

Charlie entreposait là ses objets les plus volumineux et les plus inutiles. Des canapés, des machines distributrices, du matériel pour l'édition, l'agriculture ou la production, de vieux et lourds frigos en forme de balle de fusil ou de bouchon anal, des animaux de carrousel, des malles, des peintures et des flippers, des statues et des mannequins prêts ou pas prêts pour la photo, quelle importance, montant la garde tout le tour, des plantes géantes là où Liliane avait essayé d'enjoliver un peu les lieux et même quelques poissons orange à tête d'ampoule nageant dans de jolis bocaux.

— Non, ai-je répondu en riant. La banque me refuse un prêt... peut-être parce que j'ai douze ans!

Elle m'a regardée avant de s'esclaffer à son tour.

— Question stupide, hein? Alors c'est à qui?

Je lui ai parlé de Charlie et de Liliane, de leur bébé qu'ils avaient nommé Fred. Il avait aussi un nom chinois, mais ils insistaient pour l'appeler Fred, comme si c'était suffisant pour qu'il s'intègre du jour au lendemain. Je lui ai aussi parlé des quarts de travail que je faisais les week-ends, de toute la marchandise qu'il y avait à l'étage en dessous et des livres que Charlie me laissait choisir en guise de salaire.

— Attendsattendsattends. Une petite minute.

Elle agitait les mains follement.

— Chutchutchut!

Je me suis arrêtée au milieu de ma phrase.

— Quoi? Qu'est-ce qu'il y a?

Elle m'a décoché un coup d'œil, puis elle s'est laissée tomber sur un des canapés et a sorti un sac de sa poche.

— Après ça, on aura plus de plaisir à parler. Allez ! Célébrons ta victoire, ô toi, future olympienne !

J'ai tiré un pouf moisi, gondolé par l'humidité, et j'ai attendu qu'elle ait terminé de rouler le joint.

Et nous marchions donc dans une ruelle que les derniers lampadaires sulfureux baignaient dans une lueur blafarde et mouillée, à l'arrière d'une boîte de striptease où on voyait, sur un néon, une fille dont les seins flottaient au-dessus du torse et dont les jambes s'ouvraient et se refermaient au rythme d'un zzz hypnotique, sa peau d'un rose vif, ses mamelons rouges, zzz. Et j'ai sorti une petite boîte prise chez Charlie, fabriquée à l'aide de médailles militaires russes soudées ensemble et munie d'un petit fermoir en cloisonné de couleur rouge et nous nous sommes préparées pour fumer, et nous avons fumé. Et il y a eu une commotion au bout de la ruelle, et j'ai vu la lame incurvée d'une machette frapper l'asphalte au milieu d'une gerbe d'étincelles et nous avons mis les voiles. À l'autre bout, nous sommes passées devant un vieux type, nous ne nous dépêchions pas vraiment parce que rien de tout ça ne nous concernait mais quand même un peu vu que d'une certaine manière on l'est toujours. Concerné, je veux dire. Du seul fait d'être là. Mais pour aller jusqu'au refuge, c'était un itinéraire qui en valait un autre.

J'étais juste une enfant. Qu'est-ce que vous voulez de plus?

C'était facile à trouver.

Je rentrais chez moi, chez maman, couverte de sang après tout ce déchaînement des langues dans la rue, la peau en lambeaux sous ma chemise, déchirée.

Ça se bouscule dans mes soubassements. Vu que je suis une fille, tout est possible. C'est peut-être juste une envie de pisser. Ou de chier. À moins que je saigne. Ou Dieu sait quoi. C'est justement ça le problème. Des fois, certains jours, mon chou, tout ça c'est du pareil au même. J'essaie de ne pas me laisser distraire, je continue de marcher sans savoir où je vais et, au fond, vous savez, je m'en fous complètement. Un homme me croise dans la rue, du même côté du trottoir, m'effleure, me frôle. Il se penche et murmure à mon oreille:

— Tu prends combien, petite?

À la sortie de la ruelle, nous étions quatre. À l'étage, il y avait un resto vingt-quatre heures qui faisait des nouilles, illuminé comme un arbre de Noël, et, sur la façade, un chat borgne qui clignait de l'œil sur une enseigne. Lucky Kitty. Il pleuvait vraiment fort, les gouttes tombaient en faisant pchhhh, éclataient, et j'ai dit aux autres d'attendre.

Je pourrais lui répondre. Il y a une réponse à sa question. Il a les yeux cachés par d'affreuses lunettes de soleil, comme on en voit dans les films des années soixante-dix. On dirait qu'il ne s'est pas lavé les cheveux depuis au moins ce temps-là. Un pur produit de son époque, celui-là. Je soutiens son regard un instant.

— Va te faire foutre, enculé. Avant de voir ta sale tête, je passais une bonne journée.

Il soulève les mains, les agite comme si elles étaient en feu.

— Excuuuuuse-moi! Tire pas, s'il te plaît!

Je poursuis ma route en secouant la tête.

— Sale gouine! crie-t-il dans mon dos. Tu sais pas ce que tu manques!

Je me retourne en brandissant le petit doigt.

— Quelque chose comme ça, j'en suis sûre, sac à merde.

Je souris et je marche en riant un peu à cause des injures qu'il profère dans mon dos. En l'occurrence, j'ai seulement envie de chier. Je me dirige vers le resto à deux ou trois pâtés de maisons, celui dont les toilettes ne sont pas encore fermées à clé.

Au fond du restaurant Lucky Kitty, à l'étage, il y avait une petite pièce. Un vestiaire, en principe. Il s'agissait en réalité de prendre un numéro et d'attendre sur la chaise voisine. Il n'y avait qu'une chaise, à l'instigation de Charlie, qui ne tenait pas à ce que des hordes de junkies viennent gâcher la soirée des huit familles attablées là. Ils avaient ouvert le resto, Liliane et lui, deux ou trois ans après la faillite de la boutique. Les murs étaient rose peau de poupée, et on voyait, accroché à un clou, un calendrier rouge et or marquant une année depuis longtemps révolue, aux pages jaunies et cornées, aux coins presque ronds, enroulés, usés. J'ai fait signe à Liliane, qui officiait derrière le bar. Ses cheveux tout propres avaient repoussé, et elle était radieuse. Je suis descendue.

— Je vous ai déjà dit d'attendre que je vous appelle avant de descendre, les enfants!

C'était la voix de Charlie, venue du bureau ou plutôt du placard qu'il occupait au pied de l'escalier. Je voyais la lumière filtrer par l'entrebâillement de la porte.

— C'est moi, Charlie.

La porte s'est ouverte, crachant une bouffée d'encens rouge puant. De la main, il m'a fait signe d'entrer.

— Je t'ai déjà dit de demander à Liliane de me sonner pour que je sache que c'est toi.

— Désolée, Charlie. J'ai oublié.

Il m'a souri et a mis sa main sur la mienne. Une vieille main toute plissée, douce, cependant, comme des gants en peau de mouton ou de chevreau. Presque plus une main humaine déjà.

— Ça va? a-t-il demandé.

— Ouais, ça va. Et toi?

Ses mains, s'éloignant des miennes, se sont tournées vers son plateau d'apothicaire, où il y avait des feuilles de papier d'emballage brun et des rangées de minuscules tiroirs renfermant des racines séchées, des carapaces de grillons, des grenouilles séchées, des lézards, des testicules d'ours, des herbes et des poudres. Et d'autres tiroirs encore où il rangeait d'autres poudres, des pilules, des bouchons, des buvards et des fioles. J'ai feint une certaine indifférence.

— Pas mal. Liliane est en rémission. Elle va mieux, elle se sent plus forte. Tu nous manques. Tu devrais venir nous voir plus souvent.

— Je sais.

Ses mains triaient des pilules sans l'aide de ses yeux. Trois nouveaux flacons attendaient déjà.

— Et toi ? Tu vas mieux ?

Il m'examinait. J'ai secoué la tête.

— Non, pas vraiment. Non.

— T'en as besoin ?

J'ai fait oui de la tête.

— Ouais.

Il s'est interrompu dans sa tâche et m'a regardée d'un air las.

— T'as de l'argent ?

J'ai fouillé dans ma poche, trouvé la somme que nous avions réussi à réunir.

— Ouais.

Il a poussé un soupir.

— D'accord. Pour cette fois. La prochaine, je sais pas. Faudra peut-être que t'ailles ailleurs.

— D'accord, Charlie. Je comprends.

Il m'a tendu deux flacons.

— Mais, a-t-il ajouté, je veux que tu reviennes me voir.

Il m'a encore regardée. J'ai mis les pilules dans ma poche.

— D'accord.

Il y a eu un moment de silence. J'ai pris une respiration.

— Merci, tu sais, et je vais repasser bientôt, c'est promis…

Il me fixait toujours sans ciller.

— Je sais.

Il a souri, ses yeux se sont plissés au-dessus de ses joues, et il m'a tapoté la main. Je me suis levée et, après m'être brièvement inclinée devant lui, j'ai gravi l'escalier.

Je n'ai vu Liliane nulle part. Je suis sortie et le tintement du carillon éolien s'est perdu dans la rumeur de la rue.

— Reviens ici, Cassy! a hurlé maman.

Comme d'habitude, la porte n'avait pas claqué. Elle s'était coincée sur une petite bosse, là où le béton du palier avait mal pris et gondolait. Chaque hiver et chaque printemps, c'était pire et la porte restait là, ni ouverte ni fermée, vibrant un peu sous la force de l'élan qu'il fallait donner.

Je me suis engagée dans le noir sans chaussures et j'ai couru sur le gravier et les éclats de verre que, malgré le sang qui pissait déjà, je sentais à peine : la plante de mes pieds s'était endurcie à cause de tous les étés que j'avais passés sans chaussures. J'ai couru dans les ruelles où la chaussée était encore tiède. J'ai couru jusqu'à l'entrée des égouts, tunnel carré et sombre, où coulait déjà un centimètre d'eau. Là régnaient le calme, la fraîcheur et l'humidité. Les bruits que je faisais étaient répercutés, arrondis et déformés par les parois. J'en ai fait beaucoup. Des bruits forts. Personne n'est jamais venu me chercher là-dedans. Quel genre de débile passe son temps dans les égouts ?

Nous avons quitté notre appartement de quatre pièces à cause d'un type au costume luisant qui avait baisé ma mère. Je rentrais chez moi et ils émergeaient de la chambre en sueur et en fumant des cigarettes, elle ses légères et lui des françaises qui, je suppose, avaient pour but de le rendre intéressant. Ils sirotaient un verre en essayant de me faire la conversation. Je rentrais de plus en plus tard en me disant qu'ils apprécieraient un moment d'intimité, mais non.

— Cassy, a-t-il dit en pliant sa serviette en papier.

Nous avions fini de manger et la cire blanche de la chandelle s'écoulait sur la table jaune. Assise sans rien dire, maman serrait son verre entre ses mains, son vernis à ongles rose givré tout écaillé. Du bout des doigts, elle essuyait la condensation sur la paroi de son verre.

— Nous nous faisons du souci à ton sujet, ta mère et moi. Cette année, ton rendement à l'école laisse à désirer, tu rentres à des heures impossibles, on dirait que tu occupes un emploi dont ta mère ne sait franchement presque rien, sans parler… sans parler de tes fréquentations.

Maman m'a gratifiée d'un sourire faible, comme dilué.

— Écoute, ai-je dit en allumant une cigarette. Ma vie ne te regarde pas. Mêlez-vous de vos affaires, toi et maman, et je me mêlerai des miennes. Si maman a des reproches à me faire, ça ne regarde que nous deux. Ma vie, c'est pas de tes oignons.

— Tu fumes maintenant? a-t-il demandé en montrant la cigarette qui, de toute évidence, se consumait entre mes doigts.

— Tiens, c'est vrai, Henry, je fume. Ça te dérange?

— Oui, Cassy, ça me dérange. Beaucoup, même. Bon, a-t-il poursuivi en reculant sa chaise et en se penchant sur la table.

En appui sur ses paumes, il a fait de petites tractions avant de se lever.

— Ta mère n'a pas réussi à te garder dans le droit chemin. Ses exhortations, ses inquiétudes et ses efforts… Rien n'y fait. Tu es une enfant difficile, Cassy, et elle ne s'en sort pas. Ta mère et toi, vous allez venir vivre chez moi. Le seul fait de t'éloigner de ces… des gens que tu fréquentes te permettra de forger des liens d'amitié valables et peut-être, je dis bien peut-être, de devenir un membre utile de la société.

— Utile, Henry? Comme toi, je suppose?

— Parfaitement, Cassy. Un membre utile de la société, comme moi.

J'ai ri.

— Va te faire foutre, Henry. On veut pas de ta camelote, moi et maman, on veut pas de ta petite maison et de ta banlieue de merde. Tu savais qu'elle est bâtie sur un dépotoir, ta baraque? T'es au courant pour les vapeurs toxiques et les saloperies qui flottent dans l'air? Des saletés qui s'attaquent à la cervelle et font penser à l'envers? T'es au courant, non? Nous, on va nulle part avec toi. Pas vrai, maman?

Maman a contemplé son verre, puis elle a fait tourner les glaçons, qui se sont entrechoqués, et elle a bu une gorgée.

— Tu sais, mon ange, je… euh… à vrai dire…

Elle a levé sur moi ses yeux cerclés de rouge et enflés comme si elle était sur le point de pleurer. Elle a terminé sa phrase à l'intention de la glace qui finissait de fondre dans son verre.

— C'est juste que… je n'y arrive plus avec toi, Cassy. Je suis fatiguée. J'ai besoin d'un peu de repos.

— Dans le cul! ai-je dit en me levant pour partir.

Henry m'a attrapée par le bras, m'a entraînée vers lui. Son haleine empestait la cigarette et le vin rouge. Sa barbe était parsemée de miettes de pain. Il a sifflé entre ses dents, qui faisaient comme un écran:

— Tu vas te rasseoir tout de suite et tu vas arrêter de dire des gros mots, de fumer et de faire pleurer ta mère et tu vas m'écouter. Tu t'en iras quand je t'en donnerai la permission. Compris?

Je me suis dégagée et je l'ai repoussé sans ménagement.

— Va te faire foutre, Henry. Je suis déjà partie.

Ils étaient trois à m'attendre de l'autre côté de la rue en buvant à même un sac en papier. En me voyant sortir du Lucky Kitty, Fister a soulevé son sac en guise de salut.

— Ici, Cassy, a-t-il crié en venant à ma rencontre.

— Comme si je risquais de rater ta sale gueule, chienne! ai-je répondu en traversant la rue.

Nous nous sommes embrassés au milieu de la chaussée. Il a mis son bras autour de moi et nous nous sommes pelotés un bout de temps.

— Vous êtes en plein dans la rue, les gars! On se grouille ou quoi? a lancé Pig.

Nous nous sommes approchés.

— Jaloux? a demandé Fister par-dessus son épaule, son bras et moi.

Pig nous avait emboîté le pas.

— Mon cul, oui, a-t-il répondu. T'en as?

— Non, crétin, ai-je rétorqué en brandissant les flacons.

— Génial! s'est écriée Leila en me tendant le sac en papier.

J'ai bu un coup. Nous nous sommes mis en marche.

Dans les égouts, il y avait parfois des rats.

Le refuge était tout le temps ouvert ou presque. Le jour, en principe, c'était un espace de médiation entre les jeunes et ceux qui s'occupaient d'eux. Un projet artistique en assurait le financement. En fait, l'argent servait surtout à le garder ouvert la nuit. Nous avons frappé à la porte de derrière, où était écrit, en caractères rouges de trente centimètres de hauteur, *LIVRAISONS SEULEMENT*, vestige de l'époque où l'immeuble abritait une poissonnerie. Pas chic, pas cher. Rooster nous a laissés entrer, la haute crête de coq rousse qu'il avait sur le crâne luisant dans le noir.

— Entrez, les enfants, entrez!

Sur la petite table de Rooster, du thé aux champignons magiques bouillonnait sur un réchaud de camping. Il nous en a offert. Pour le remercier, je lui ai donné une pilule.

— Merci, Cassy, qu'est-ce que c'est?

— Ce qui est sûr, en tout cas, c'est que ça va te garder debout. T'avais pas le projet de dormir de sitôt, j'imagine?

Il a soupiré, souri, haussé les épaules.

— Je suis ici jusqu'à huit heures, ensuite il faut que je fasse le ménage et que je parte en vitesse, j'ai des réunions de neuf heures jusqu'à la fermeture. Demain soir, je mange chez les parents d'Emily, puis je reviens ici pour la nuit. J'espère dormir un peu, mettons, mercredi prochain.

Il a souri.

— Santé!

Nous avons avalé notre pilule à l'unisson et je me suis enfoncée dans la foule.

Deux ou trois pseudo-artistes avaient peint des toiles au message édifiant sur d'énormes feuilles de contreplaqué, lesquelles, le jour, décoraient les murs. Là, il y avait des réunions supervisées, et les lieux devaient être vaguement présentables. L'envers des feuilles de contreplaqué était noir et on s'en servait pour boucher les fenêtres. En gobant les médicaments que personne n'avait prescrits, nous faisions face à d'énormes et rutilants soleils, à des déesses lunaires et à des arcs-en-ciel heureux surplombant des foyers heureux. Leila et Pig étaient assis à une table au-dessus de laquelle une colombe en plein essor tenait un rameau d'olivier dans son bec. *Les armes à feu sont nocives pour les enfants et tous les êtres vivants,* lisait-on dessus.

— Dis donc, Pig, t'as pas travaillé à celle-là ?

Il a levé les yeux.

— Ouais. Faire quelque chose d'aussi laid, c'est… dur, merde.

Nous nous sommes esclaffés. Fister a traversé la pièce d'un pas lourd en transportant une bouteille et trois canettes, reste d'un paquet de six, ballant au bout de leurs petits crochets en plastique. Il les a déposées sur la table et m'a enveloppée dans ses gros bras, m'a embrassée.

— Merde ! ai-je crié en plaquant ma main sur ma bouche.

— Quoi ! Qu'est-ce qu'il y a ? a-t-il demandé en interrogeant ma gueule ensanglantée.

— T'as percé ma foutue lèvre, merde !

Après un moment d'hésitation, il a décroché l'épingle de sécurité qui lui traversait la lèvre inférieure.

— Tant pis. Ça f'sait longtemps que j'voulais m'débarrasser de c'truc-là. La plaie guérit pas, t'sais.

Il m'a souri, puis il a léché le sang en m'embrassant.

Au bout de la ruelle, aucune couleur dans le noir. Dans la lumière défraîchie, les graffitis avaient un aspect laiteux. Je marchais vite, mes pieds s'efforçant de suivre le trottoir. J'ai laissé Thom devant chez elle. Nous étions pétées, épuisées toutes les deux, habitées par une douce chaleur, comme après une journée de farniente sous le soleil. Un chat rachitique est passé furtivement et s'est aplati pour filer sous une clôture. Il y a eu un autre bruit, une sorte de raclement de gorge.

Je me suis arrêtée et j'ai serré la main sur mon couteau.

— Alors, t'as une raison à me donner?

Derrière moi, une odeur de tabac. Rolly. Je me suis retournée.

— Sais pas, ai-je répondu. T'en as une, toi?

Sa silhouette plongée dans l'ombre a exhalé une colonne de fumée, longue et pointue. Il a jeté son mégot par terre, l'a écrasé du pied.

— Qu'est-ce que tu me chantes là, bordel? C'est toi qui es pas venue.

J'ai réfléchi. Je me suis rejoué le film embrouillé de la matinée, de la journée.

— Merde, t'as raison. C'est juste que… j'ai eu

l'impression d'être… abandonnée. Excuse-moi, Rolly. J'ai eu une longue journée.

Il a mis ses mains dans ses poches.

— Il paraît que t'as fait une nouvelle conquête?

— Thom, tu veux dire? Elle est cool.

Il a reniflé.

— Elle est folle, oui. Mais c'est pas elle qui m'inquiète.

Des images ont défilé au ralenti dans ma tête. Rien d'utile.

— De quoi tu parles, Rolly?

— Le nouveau, tu sais bien. Le p'tit nouveau?

Il a projeté le menton d'un côté.

— Le maigre, là.

— Jesse? Nous avons été en retenue ensemble, Rolly! Qu'est-ce qui te prend, merde?

Il a secoué la tête.

— Je te préviens, Cassy. Fais attention où tu mets les pieds.

Autour de nous, la ruelle étincelait, rétrécissait, s'arrondissait. J'avais l'impression d'être debout dans le faisceau d'un phare de voiture.

J'ai fermé les yeux. L'asphalte vacillait sous moi.

— Qu'est-ce que t'as entendu d'autre, Rolly? As-tu aussi entendu parler du reste de ma journée? J'aurais eu besoin d'un coup de main, tu sais?

J'ai enfoncé mes poings dans mes yeux. De drôles de couleurs ont explosé, ont tout inondé.

Il y a eu un long silence, le tchic tchic d'un briquet, une inhalation profonde.

— Non, rien, l'ai-je entendu dire. Qu'est-ce qui t'est arrivé ?

J'ai senti quelque chose d'humide entre mes doigts en me rendant compte que j'avais perdu mon foutu trophée.

Elle me portait, ses grosses jambes nous soutenaient toutes les deux, ses bras passés sous mon cul, sa tête et ses cheveux doux contre ma joue. Mon menton reposait au creux de son épaule.

Je ne voyais que ce que nous fuyions, l'endroit où nous n'allions pas.

J'avais la jambe cassée. Était-ce pour cette raison qu'elle me portait ?

Il faisait noir dans la pièce. La seule lumière venait des bougies, des briquets allumant des cigarettes, des pipes et des joints, du réchaud de camping que Rooster gardait allumé près de la porte, où le thé aux champignons magiques bouillonnait en permanence, la réserve intarissable. Il y avait un voyant lumineux marquant la sortie. C'est à peu près tout. Les meubles, semblables à ceux qu'on voit dans tous les bureaux, se résumaient à des tables de travail, à des chaises à roulettes et à des classeurs. Il y avait aussi deux fauteuils, remontés de la ruelle où quelqu'un les avait abandonnés. Tout était bas, à ras du sol, faiblement éclairé et décrépit. Il y avait beaucoup de fumée. Beaucoup de monde aussi, des gens en noir, en cuir et en chaînes maquillés au correcteur liquide et à la peinture, aux cheveux lustrés et hérissés. Dans la foule, on voyait chanceler toutes les nuances du spectre, des rouges et des verts agressifs, du rose vif vif. Des lèvres rencontraient des lèvres, comme des chiens rencontrent des chiennes, s'embrassaient par derrière.

Tout le monde était givré, il y avait de l'alcool et du bruit et la rumeur des conversations qui tournaient sur elles-mêmes sous le plafond de fumée, pas de musique, il y avait eu de la musique live auparavant, beaucoup de cris beaucoup de bruit, mais c'était à l'autre endroit, avant qu'on nous évince. Alors pas de musique, seulement le bruit de nos tristes moi occupés à faire le plus de bruit possible. Tout le monde portait un masque, un masque de maquillage, un masque d'alcool et de défonce. En les voyant, ces masques, on comprenait que leurs propriétaires ne savaient pas ce qui se passait derrière. Ils se regarderaient dans la glace pendant des heures, médusés. C'est moi ? C'est vraiment moi ? Des masques qui souriaient, parlaient, riaient, se moquaient, baisaient et juraient, ne cachaient rien, tout étant caché, pour une petite nuit seulement vu que, pour une raison quelconque, ils se croyaient, je ne sais pas, libres.

La main de Fister se baladait sous ma chemise. J'embrassais quelqu'un dont j'ignorais le nom à l'époque et dont j'ignore toujours le nom. Pig et Leila, à côté de nous, se tortillaient à l'unisson.

Dans un coin, un type jouait avec son chien, ouah ouah ouah, répète après moi.

— Écoutez! hurlait-il périodiquement. Mon chien parle!

Ouah ouah ouah, répète après moi.

Leila a gémi quelque chose à l'oreille de Pig, s'est laissée glisser.

Je suis chez moi. Je dors. Je le sais parce que Terry, au beau milieu de la nuit, frappe à ma fenêtre. Je le laisse entrer et il se faufile sur la banquette arrière. Il s'enroule autour de moi, je sens son souffle tiède dans mon oreille. Il glisse sa main dans mon pantalon, ou plutôt, il le ferait, si j'en portais un.

— Tu dormais? demande-t-il tout doucement, comme s'il craignait de réveiller quelqu'un.

— Mmmmmmm, dis-je.

Réponse à moitié littérale et à moitié épidermique.

Je porte une combinaison-jupon. Owen n'en voulait plus parce que, disait-il, elle ne lui faisait pas une poitrine assez plantureuse. En deux temps, trois mouvements, Terry est nu contre moi et ensemble nous formons un sandwich de peau et de soie. Nous baisons lentement et vigoureusement, lourds l'un sur l'autre. Les mains sur mes épaules, il me cloue sur la banquette, m'embrasse fort jusqu'au fond. J'appuie mes pieds contre le plafond, accrochant deux ou trois trucs en passant.

Les genoux. Quand on baise, on n'y pense pas nécessairement. J'étais sur les genoux de Fister, sa main sur mes seins, et sa bouche laissait des marques dans mon cou. Sa queue toute dure se frottait contre mon cul. On s'embrassait toujours, moi et l'autre. Les yeux ouverts, je me suis rendu compte qu'il s'agissait d'une fille, c'est déjà ça, une fille qui m'embrassait pour se remplir, me semblait-il, comme si elle était vide, yeux fermés, eye-liner noir, traits liquides et durs, le genou pressé contre moi, frottant ma chatte comme une bête affamée. Elle retenait mes bras, les pressait de part et d'autre de Fister, et nous nous enfoncions dans l'immensité du fauteuil. Mes pieds ballaient, écartés au-dessus de Fister qui, de ses longues jambes, les empêchait de toucher par terre.

— Écoutez, vous autres! Mon chien parle!

Ouah, ouah, ouah.

Je respirais dans la bouche de la fille et elle respirait dans la mienne. Sinon, je ne voyais rien.

Elle s'est arrêtée pendant un instant pour reprendre son souffle, m'a déposée. Contre elle, en équilibre sur une jambe. Autour de nous, il n'y avait absolument rien. Des collines brunes et orange. Une route asphaltée qui serpentait à gauche et à droite, perdue dans ses courbes, où il n'y avait toujours rien.

Elle a épongé la sueur de son front, de son visage et de ses joues. De ses doigts, de gauche à droite sous l'œil droit, et de son pouce, de droite à gauche sous le gauche. Je lui ai demandé où nous allions. Elle a ri.

Terry me prend le cul à deux mains, me baise à vif.

Il y avait du mouvement et pendant une minute ou peut-être plus tout est arrivé trop vite et ensuite le temps a ralenti et j'ai pu regarder autour de moi et voir et trouver, voir ce qui arrivait, ce que c'était que je sentais.

Un : j'ai une main sur le sein de cette fille, l'autre sous le cul de celui que je pousse en moi, c'est Fister, toujours derrière moi, à l'intérieur de moi, une de ses mains sur elle, en elle, l'autre sur moi, insinuante, une des mains de la fille sur mon sein, l'autre frottant l'endroit où il y avait son genou tout à l'heure.

Deux : elle a enfin cessé de m'embrasser et elle n'arrive pas vraiment à ouvrir les yeux, elle est probablement jolie, une sorte de sourire retrousse les coins de sa bouche et, à l'instant où elle dégueule, quelque chose comme un rire s'échappe de ses lèvres.

Trois : écoutez, vous autres, c'est génial, merde !

Ouah, ouah, ouah.

Quatre : moi et Fister baisant tandis qu'elle, penchée au-dessus du bras du fauteuil, repose sur nous, sur nos genoux, vomissant un flot ininterrompu, vomissant sans bruit, sa culotte baissée formant comme un petit hamac, souillée.

Cinq : il y a une chose, une chose à propos de Thom, une chose que j'étais censée faire. Aujourd'hui ? La main de la fille s'est détachée de moi et une autre l'a remplacée, s'est surimposée à elle, a pris le relais pendant qu'elle était occupée ailleurs. Alors j'ai mis la mienne là, moi aussi. Plus on est de fous, plus on rit, non ?

— Ça va ? T'as l'air… je sais pas… différente, dit-il après.
— Ouais, ça va. Très bien, en fait.
— Ah bon ?
— Ouais.
Je souris, respire la peau de son dos juste sous la nuque, le sens s'endormir. Il respire lentement, blotti tout contre moi, et j'ai les yeux encore ouverts quand le ciel vire au bleu.

Je me suis lassée de compter. Je me suis lassée de la trouver dans tous mes orifices, ou encore lui, plus moyen de savoir, j'ai perdu le fil, j'ai perdu le nord, je ne savais plus d'où elle était venue, et je m'en foutais. Je pense que j'ai perdu connaissance, là, parmi eux, je crois bien que oui et j'ai l'impression qu'ils n'ont rien remarqué et je ne leur en veux pas parce que, franchement, moi non plus.

Elle a ri.

— Loin, mon chou. On s'en va loin.

Il n'y avait pas de lumière quand j'ai ouvert les yeux. Elle dormait sur le côté, le visage entre mes jambes, et je sentais son souffle tiède sur ma cuisse, juste à côté de ma chatte, mes jambes écartées sur les genoux de Fister, ma tête contre sa poitrine. Il ronflait, la tête renversée. Nos vêtements, retroussés, déchirés, à moitié arrachés. Nous avions gardé nos bottes.

Rooster réveillait d'autres couples, d'autres jeunes, d'autres groupes agglutinés par terre ou allongés sur les bureaux, les chaises, les uns sur les autres. Je me suis réveillée et je l'ai secouée, légèrement.

— C'est le matin, il faut se lever, ma vieille. C'est l'heure de partir.

Elle a ouvert les yeux.

— Aaaahhhhhh, a-t-elle dit en nous montrant du doigt, je vous connais, vous autres, non ?

Elle a souri avant de perdre connaissance de nouveau et de retomber lourdement sur mes genoux.

Intermède avec la tête

Je tenais en équilibre sur mes genoux un cendrier que j'avais volé dans un resto vingt-quatre heures. Ramone se pelotonnait entre mes jambes, à l'abri de la pluie. Pourquoi se donner la peine d'utiliser un cendrier par une nuit de merde, dehors, dans un recoin miteux d'une rue quelconque ? Je ne sais pas. Parfois j'ai un goût d'être à la maison, comme à l'époque où je m'engueulais moi-même quand il n'y avait personne d'autre pour le faire.

Pause.

— C'est une blague, Ramone. Mon Dieu, t'es tellement sérieux des fois.

Pause.

— Non, j'ai pas envie d'explorer les origines de l'humour pour la énième fois. Merci quand même. Est-ce qu'il t'arrive de juste lâcher prise ?

Pause.

— Tout le temps ? Ah bon ? T'as pas l'impression de me faire des misères pour les choses les plus simples,

celles qui me font sourire, moi ? D'interroger mes raisons et mes motifs à tout propos, de me harceler parce
que, en général, j'en ai pas ? Je suis pas un personnage
de roman qui a besoin d'une intrigue bien ficelée,
merde. Je suis juste une fille qui vit sa vie et qui, tout en
étant plutôt portée sur l'introspection, se contente en
général de faire des choses. T'sais ?

Pause.

— Bon, d'accord, c'est possible. Peut-être. Je sais
pas. Alors je sais que tu peux pas me le dire. Pas tout de
suite en tout cas.

Pause.

— Prends mes rêves. Des fois, ils ont l'air si réels
qu'ils me restent collés dans la tête comme des souvenirs ou je sais pas quoi, quelque chose que j'ai fait
ou pas, quelque chose que je peux presque goûter à
propos de quelque chose que je me rappelle à peine. Il
y en a un que je… C'est peut-être un souvenir, pas
moyen de savoir. Ça… semble drôlement vrai, mais je
ne me rappelle plus si c'est arrivé.

Pause.

— Parce que ça a un sens et que les souvenirs n'en
n'ont pas, tu vois ? Je me trompe ? Je sais pas. Mais… je
crois pas que ça soit arrivé.

Pause.

— Ce qu'il y a, c'est que maman… me sauvait,
je le dis faute d'un meilleur mot. De quelque chose, de
quelque chose de laid. Et je crois pas que ça soit un jour
arrivé, du moins pas dans mon souvenir. Qu'est-ce que
ça veut dire, de toute façon ?

146

Pause, pause, pause.

— T'entends des voix, Ramone?

Pause.

— Ha! Ha! À part la mienne, je veux dire.

Le jour se lève à peine, les étoiles s'estompent. Par la fenêtre de la voiture, j'aperçois un infime croissant de lune. Vénus s'accroche juste en dessous, toute brillante, et l'étoile Polaire est là quelque part, même si je ne la vois pas. Je sais toujours où elle est. Au milieu de tout, en apparence immobile. Mais elle tourne. Elle tourne, très lentement.

Et c'était encore le matin, le plein jour ou presque. Moi, Pig, Fister, Leila et au moins une centaine d'autres faisions grincer nos corps lents dans la lumière du jour, nous nous mettions en chemin pour la maison, du moins pour ceux qui en avaient une, tandis que les autres se mettaient en chemin pour nulle part. Je clignais des yeux, absente. Tout ce que je faisais, c'était marcher seule, comme si rien n'était jamais arrivé, peut-être, comme si peut-être personne n'était parti. J'ai donc fait ce que j'ai pu avec tout ça et poursuivi ma route. Dans les rues crasseuses, des bouts de papier patinaient au milieu de tourbillons incessants, des capotes semblables à des limaces laissaient derrière elles une traînée baveuse, se perdaient dans des caniveaux remplis de mégots, de pisse et d'ultimes cocktails. Après un tournant, j'ai atterri dans une rue de verre. Ici, pas de soleil. Que des ombres sans fin et des hordes de gens propres de leur personne qui allaient et venaient, quelque part, si proches que j'aurais pu les toucher, mais pourquoi est-ce que j'aurais voulu faire une chose pareille ? Entre nous, il y avait de l'espace, de la chair et plus encore, quelque chose qui leur aurait arraché des cris muets, les aurait obligés à battre en retraite. Quelque chose qui aurait pu gâcher leur vie et la mienne. Juste là. Juste à ce moment. Mais vous savez, c'était peut-être des idées que je me faisais.

— Maman ? ai-je crié en contournant la longue bibliothèque qui, dans le fenil, faisait office de cloison entre ma chambre et la sienne. Maman ?

Son lit était vide. Je suis descendue nu-pieds dans le souffle lourd des vaches mortes, dont je flattais le flanc au passage. Maman n'était nulle part. J'ai tiré la porte massive de l'étable, tiré la clenche en bois, collante après une journée de canicule, colle, colle, décolle, cède.

Dehors. Presque à son zénith, la maigre lune inondait d'argent liquide le monde tout entier : le petit jardin miteux, des jouets à l'abandon, deux minuscules bicyclettes, une rouge et une dorée, qui rouillaient dans un coin, oubliées, le champ de blé, froissé et ondulant, sec, agonisant. J'ai poussé la bicyclette dorée et j'ai enfourché la rouge, la sienne. Elle était facile à monter, avait-elle dit.

— Tu n'as qu'à poser les pieds sur les pédales lorsqu'elles remontent.

Personne ne l'a jamais entendue parler. Sauf moi. Mais elle ne s'adressait jamais qu'à moi. À qui parle-t-elle maintenant?

Parce que tout le monde allait quelque part. Au travail, principalement.

Où est-ce que j'allais, moi, bordel?

J'allais à la chambre d'hôtel que je partageais avec deux ou trois clochards mineurs dans mon genre. C'était une vieille vie minable qui même à l'époque me semblait trop vieille pour qui j'étais, une journée vide se profilait à l'horizon, je le sentais bien. Je revenais vers un endroit où je n'étais pas, où je vivais.

Un homme qui a tourné un peu trop vite le coin de la rue s'est arrêté net après avoir failli me rentrer dedans. Il a levé les yeux, petit, en colère, au moment de traverser.

J'ai soutenu son regard. J'ai regardé ses lunettes, son costume, son porte-documents, les objets qu'il transportait, qui le transportaient. Qu'il était pressé d'arriver dans la toute petite cage où il travaillait. Je puais et je le savais. J'avais les cheveux sales, teints de trois couleurs inédites dans la nature, sans parler du limon noir qui s'était sans doute accumulé autour de mes yeux. J'avais un couteau mais pas un sou vaillant. J'étais plus grande que lui et, sans me forcer beaucoup, j'étais capable de cracher le feu.

Il m'a regardée. Par pour me juger, ni rien comme ça. Il m'a regardée, moi. Pendant une fraction de seconde, nous avons été tout l'un pour l'autre et, en même temps, rien du tout.

— Excusez-moi, a-t-il dit avant de me contourner.

Au passage, il m'a légèrement touché le bras.

Sur la pelouse élimée, j'ai décrit des cercles avec la bicyclette de Pony. J'ai roulé aussi vite que j'ai pu, toujours plus vite. Je n'allais nulle part mais j'étais étourdie.

Je me suis arrêtée, j'ai mis pied à terre et je me suis étendue dans l'herbe sèche qui grattait.

J'ai fermé les yeux, laissé les larmes jaillir de sous mes paupières closes, rouler sur mes joues, tomber sur la terre sèche, mes oreilles, mes cheveux. Je me suis enroulée autour du vide au milieu, du rien, du trou en moi, je me suis enroulée autour de l'espace qu'elle occupait autrefois, Pony, je l'ai serrée fort fort et je me suis endormie.

Maman m'a réveillée au moment où le soleil colorait à peine le ciel de bleu. Tout était immobile dans l'air un peu frais. Les herbes mortes annonçaient les premiers gels. J'avais les vêtements mouillés et les paupières collées. Elles se sont décollées quand j'ai ouvert les yeux. L'haleine de maman empestait l'alcool. Elle m'a prise dans ses bras et transportée à l'intérieur. Il y avait un homme, un autre homme assis dans la cuisine, un verre sur la table devant lui.

— Salut, Cassy! s'est-il écrié en me saluant de la main.

Maman m'emmenait à l'étage.

— Je te connais pas, ai-je dit, grincheuse et endormie. Qu'est-ce que tu fais chez moi?

— Cassy! a sifflé ma mère. Sois gentille!

— Non, ai-je répondu en enfouissant mon visage dans sa poitrine.

Je suis restée immobile, aussi immobile que possible. Personne ne s'est arrêté. Le flot ininterrompu d'hommes et de femmes pressés d'arriver dans un lieu mystérieux est passé sous mes yeux. Tous ces gens… Je ne les ai pas arrêtés pour les interroger sur le sens de leur mystère et ils ne se sont pas arrêtés pour me parler du mien.

J'ai pleuré.

— Reste avec moi, maman. T'en va pas, ai-je gémi, plaintive, craintive, déboussolée.

— Tu es une grande fille, maintenant, Cassy. Tu fais dodo dans ton grand lit, a-t-elle dit en me caressant les cheveux.

— Je m'ennuie de Pony, ai-je dit en fermant les yeux.

— Je sais, mon ange, a-t-elle murmuré. Moi aussi.

Assise sur le perron d'un immeuble, je faisais la conversation à une tête en papier mâché. J'avais dans la bouche un goût de sperme, d'alcool, de métal et de viande, j'avais perdu mes amis et ils m'avaient perdue, moi, et nous étions les uns pour les autres tout ce que nous avions au monde.

— Belle journée, non?

En levant les yeux, j'ai vu une femme pas beaucoup plus vieille que moi. Elle me regardait du haut de sa tasse thermos, le logo d'une chaîne quelconque gravé dans le plastique, indélogeable.

— Tu trouves? ai-je demandé.

— Je ne sais pas. Je peux m'asseoir?

— Si tu veux, ai-je répondu en lui faisant une place dans le portique à l'abandon.

J'ai repoussé une vieille boîte de métal dont je m'étais servie pour fumer. Ensuite, j'ai rangé Ramone dans ma poche. J'avais envie d'enlever mon blouson pour qu'elle y pose son cul délicat et sans taches, mais. Lequel des deux était le moins crasseux, le sol ou mon blouson? En toute honnêteté, je n'aurais pas su le dire.

Elle s'est assise. Elle a pris une gorgée de café. Elle a levé les yeux en gros vers l'endroit que je regardais, haut dans le ciel. Puis elle s'est tournée vers moi.

— Tu as besoin de quelque chose?

J'ai ri.

— T'énerves pas, m'dame, ai-je répondu d'un air méprisant. Tu vas être en retard au travail.

Elle a consulté sa montre.

— Tiens, c'est vrai. Bah, il n'aura qu'à faire son café tout seul, le fumier. Ça le changera.

Elle affichait une sorte de sourire aux lèvres, qui m'a fait penser à celui de Monsieur Patate, le genre de sourire qu'on peut enlever d'un visage et il y a au bout une petite tige qui permet de le fixer à celui de quelqu'un d'autre sans qu'il change le moins du monde.

— Écoute. Laisse-moi te donner un peu d'argent ou autre chose. J'aimerais t'aider.

— Ne le prends pas mal, m'dame, mais j'ai pas été créée pour te permettre de te racheter, de sauver ta journée. Je suis pas là pour t'aider à échapper aux maux de notre temps. Je pourrais prendre ton argent et ça changerait rien pour personne, sauf que, en arrivant au travail, tu pourrais dire je suis en retard parce que j'ai aidé une pauvre fille. Et moi, là-dedans? Demain, j'aurai encore faim. Pas la peine, donc. Ça va. Je suis juste assise là. Laisse-moi tranquille.

Elle m'a regardée.

— D'accord, a-t-elle dit. Mais ne dis jamais que je n'ai rien voulu faire pour toi.

Elle s'est levée, a rajusté son foulard avec soin, puis

elle a pris une autre gorgée de café avant de s'éloigner. Son sac était resté à côté de moi.

— M'dame!

J'ai attrapé le sac et je me suis levée.

— Tu as oublié ton sac!

Elle a fait demi-tour.

— Ouais, je sais, a-t-elle dit en le reprenant. C'était juste pour voir.

À la fin, je ne savais plus. À la fin, je ne savais plus rien. Ça me plaisait. Vraiment. Je me sentais en sécurité.

Personne ne me connaissait et tout le monde se foutait de moi.

Essayez, vous verrez bien.

Si ça se trouve, ça va vous plaire.

Pony me serait rentrée dedans après avoir tourné le coin en riant, papa à ses trousses, je vais t'attraper ! Moi et Pony nous nous serions écroulées par terre en poussant des cris aigus et papa nous aurait chatouillées jusqu'à nous faire perdre le souffle.

Je me sentais moche, intimidée, avec une gueule de bois carabinée, détachée de tout, larguée, narguée, de travers, de trop. Je me suis levée et je me suis mise à marcher. Un vieux type a traversé la rue pour me demander une pièce. Je lui ai filé une cigarette.

— Qu'est-ce que tu dirais d'un verre, mon vieux ? J'ai l'impression que t'en as bien besoin.

Il a souri, dévoilant des dents brunes érodées par au moins cent ans de friction. Il avait la peau brune, tannée comme du cuir, et sur les bras des tatouages de marin à moitié effacés, qui s'estompaient encore, prenaient l'apparence de la peau, comme s'ils étaient nés sur ses bras quand il était sorti du ventre de sa mère, ça faisait une centaine d'années.

— Grâce à toi, p'tite sœur, le matin recommence à sentir bon.

La lune s'efface, petit croissant argenté qui vire au blanc, pâlit pâlit et s'en va. Le soleil se lève sur l'océan au milieu du scintillement bleuté qui, quand vous essayez de le décrire, vous fait passer pour un plouc. Mais c'est vrai. Que c'est beau. Je grille une cigarette sur le toit. Je suis allée chercher deux cafés au bout de la rue. Terry dort toujours sur la banquette arrière. J'écris.

Papa aurait hissé Pony sur ses épaules et aurait couru à l'intérieur de la maison en se penchant pour passer sous les portes. Imaginez-le qui court dehors, moi à ses trousses, il la dépose, moi je prends sa place.

— On va où, princesse? aurait-il demandé.

— Là-bas!

J'aurais montré le champ au-delà du jardin, océan doré de blés ondulants. Nous y aurions couru. Du haut de mon perchoir, j'aurais tout vu, j'aurais éprouvé la sensation de voguer sur les blés, matelot à cheval sur une mer sans eau.

Terry vient derrière moi, pose ses lèvres douces sur ma joue et les laisse là. À peine un baiser.

— 'jour, dit-il à ma peau.

Le mot, je l'ai moins entendu que senti.

— 'jour.

En souriant, je cache le cahier dans lequel j'écris, le referme.

Imaginez papa qui me dépose le temps de reprendre son souffle. Avec Pony, j'aurais couru lui chercher à boire. C'est la première chose que j'ai apprise : trois doigts de gin sur des glaçons, du tonic jusqu'à ras bord, quelques gouttes de citron vert, un bout de citron à côté. Il aurait été allongé sur le transat, grand et brûlant, la toile orange et jaune tendue sur le cadre en bois. Imaginez-le qui nous sourit, qui prend une énorme gorgée. Blotties au creux de ses bras, nous aurions regardé le jour décliner, passer de l'or vif au jaune endormi, puis à l'ambre clair.

Pendant que le soleil se couchait, moi et Pony nous nous serions endormies contre les fortes épaules de papa. Le lendemain, je me serais réveillée dans mon lit à côté de Pony, juste avant l'aube.

Plus de papa dans les parages.

Terry s'en va un peu avant midi.

Du toit de ma voiture, je me penche pour l'embrasser tendrement, longtemps, profondément.

— Salut, dit-il en retenant ma main une seconde de plus.

— Salut, dis-je en posant un baiser léger sur ses doigts.

Il s'éloigne.

Son nom n'avait pas d'importance. En plein le genre de choses que je pouvais me permettre d'oublier. C'est son visage, si semblable au mien, dont je devais me servir. Impossible de rester encore avec Thom, elle était si froide. J'avais besoin d'elle, vraiment. J'espérais qu'elle comprendrait.

Il y avait tant de gens ici, derrière cette porte anonyme sans enseigne ni rien. Assise de l'autre côté de la rue depuis deux ou trois heures, je voyais des dames étincelantes passer en glapissant au bras de leur mec tiré a quatre épingles, leurs joues arrondies encadrant un sourire béat, laissant dans leur sillage des odeurs que je n'avais encore jamais respirées. Du shampoing, de la poudre, de l'huile de vison. *Du parfum.* Qui a jamais entendu parler d'une chose pareille?

Voici tout ce qui est arrivé. À la frontière, des douaniers sont montés, quelqu'un a jeté un coup d'œil à son petit visage plat puis au mien, a hoché la tête, puis s'est penché sur moi pour prendre le passeport du porc en sueur assis à côté. Ensuite, ils ont contrôlé l'arrière de l'autocar. Dix minutes plus tard, le lourd véhicule s'est remis en route, transbahutant mon cul de loqueteuse vers un autre endroit, où personne, vraiment personne, ne m'avait jamais vue.

Je me suis donc levée et j'ai traversé la rue. Cuir et jambes nues. Cheveux en broussaille d'au moins dix couleurs différentes. J'ai frappé à la porte, comme les autres l'avaient fait avant moi.

Plein de monde là-dedans, la lumière tamisée. Même qu'il y avait des chandelles, de vraies chandelles, sur chacune des tables. Des gens sur leur trente et un, soie et strass, cheveux gominés, des messieurs en costume buvant des whiskys à l'eau, des dames tétant des martinis. Talons hauts et fines rayures. Sur la scène, des enfants grassouillets qui dansaient le cancan en se tenant par les épaules. Plumes et boas, boutons de manchette et guêtres. Musique de trombone et rires.

J'ai bu un verre, appuyée contre le bar du fond tout en courbes, dont la peinture dorée s'écaillait sous mon bras. La surface était collante à cause de tout l'alcool qu'on y avait renversé. Les danseurs ont sautillé jusque dans les coulisses et la lumière a baissé. La musique est devenue lourde, comme au ralenti, les haut-parleurs laissaient entendre de la friture. Plus d'orchestre. Qu'une vieille bande enregistrée. Une tête blonde est apparue dans la lueur du projecteur, une tête blonde sous un feutre mou à large bord s'est mise à chanter en allemand quelque chose à propos d'une certaine Lili Marlene. Costume serré sur la poitrine, sanglé sur les hanches. Elle fumait une cigarette, nous enveloppait dans une fumée bleue. Pause quand la chanson s'est terminée au milieu d'un tonnerre d'applaudissements. Elle a souri de toutes ses dents, a arraché le costume d'un geste fluide. Elle était emmaillotée dans un fourreau de soie noire, une robe du soir parfaite. Elle a chanté la même chanson, en anglais cette fois, et la foule a chahuté et crié, ses seins étaient un peu trop hauts, sa poitrine un peu trop large, mais sa Dietrich était parfaite, et les lumières se sont éteintes, puis tout le monde s'est remis à boire et à danser. La musique est revenue, mais la femme avait disparu.

La première chose que j'ai faite a été de mettre cette femme dans une enveloppe rembourrée et de la renvoyer à la maison. Pas compliqué vu que j'avais son adresse, son permis de conduire, son passeport, des photos de son chat (habillé pour les vacances), ses pense-bêtes, ses reçus, tout. Je lui ai posté le tout de la gare routière sans un mot d'explication. J'espérais seulement qu'elle aurait oublié la méchante fille aux prises avec la gueule de bois qui lui avait rendu son sac, mais pas son porte-monnaie.

J'ai commandé un autre verre et, derrière moi, j'ai entendu quelqu'un qui sifflait doucement. En me retournant, je l'ai vue, Dietrich, de près, en robe de bal noire. Elle a secoué la tête en soupirant bruyamment.

— Moooon Dieu! Qu'est-ce que tu as fait à tes cheveux, ma chérie?

J'ai coincé une mèche derrière mon oreille et haussé les épaules.

— En gros, rien du tout.

Elle a ri et a posé ses mains sur mes épaules.

— S'il te plaît, s'il te plaît, s'il te plaaaaît, suis-moi. Je sens bien quand on a besoin de moi et, crois-moi, chérie, c'est ton cas!

Nous avons gravi trois petites volées de marches jusqu'à la mansarde insignifiante qu'elle occupait, remplie de fourrures, de plumes et de cuir luisant. Pas mal de pistolets aussi. Et un tas de paillettes.

— Mais d'abord, parons au plus pressé!

Marlene s'est tournée vers moi d'un air théâtral en tendant les bras à la manière d'une diva.

— Délivre-moi!

J'ai fait descendre la fermeture-éclair. Elle a enjambé la flaque laissée au sol par la robe et s'est mise à dégrafer les minuscules crochets à l'arrière de son corset baleiné.

— Ahhhh! s'est-elle écriée en jetant la chose à l'autre bout de la pièce, c'est déjà beaucoup mieux.

Les seins avaient disparu avec le corset.

Elle est passée derrière un paravent, d'où elle est ressortie en boutonnant une chemise blanche habillée, impeccable, sur un pantalon à rayures grises immaculé. Les cheveux blonds étaient toujours en place, les boucles parfaites, en équilibre sur son front.

— Bon, je m'appelle Owen, et ça c'est Frederick, a-t-elle lancé en désignant une masse jaune au milieu d'un amas de fourrures. À qui ai-je l'honneur?

— Euh…

J'ai eu un moment d'hésitation.

— Cassy.

Elle a soulevé un sourcil d'un air inquisiteur.

— Tu en es sûre?

— Oui, non, excusez-moi, je…

J'ai montré mes paumes vides et haussé les épaules.

— Il y a longtemps qu'on ne m'avait pas posé la question.

Owen a roulé des yeux.

— Ah bon? J'ai du mal à le croire. Tu es un véritable désastre, d'accord, mais il y en a qui aiment le genre, non?

J'ai ri.

— Ah! Un sourire! Magnifique, je l'aurais parié, sous ce… cette…

Elle a marqué une pause.

— … exquise décoration. Allons, suis-moi.

Elle m'a agrippée par la main et entraînée à sa suite.

— Je te mets au régime. Des bulles, des bulles et encore des bulles!

De Leppy m'a déjà remis un rouleau de pellicule. Je l'apporte à la boutique photos qui fait le développement en une heure, de l'autre côté de la baie, puis je me rends au bar, en face.

Quand la baignoire a été remplie de bulles blanches et légères, Owen m'y a poussé.

— Toi, tu entres là-dedans, a-t-il ordonné, et je reviens tout de suite.

Il est sorti de la pièce en fredonnant un air que je reconnaissais vaguement. Mais oui, bien sûr. *Tiny Bubbles*. La chanson de Don Ho.

J'ai posé mon vieux blouson de cuir sur la cuvette. Ma camisole. La combinaison rose que je portais en guise de robe. Mes bottes. Tous mes bijoux de pacotille. L'eau était parfaite. J'avais des bulles laiteuses jusqu'au menton.

— Tiens ça, a dit Owen à son retour.

Il m'a tendu deux coupes en forme de bol. En détachant la pellicule d'aluminium qui recouvrait le bouchon, il a montré du menton les verres que je tenais dans mes mains, par le fond plutôt que par le pied.

— On dirait de petits seins parfaits, pas vrai? Ils se moulent dans la main si… parfaitement. Tu connais le dicton, non? J'ai toujours espéré que le vieux croûton qui a écrit ça parlait de coupes comme celles-ci, a-t-il dit en détordant l'œillet, et non de flûtes. Ce ferait un peu trop *National Geographic* à mon goût!

Il a gloussé en faisant sauter le bouchon. Le champagne a débordé et le trop-plein s'est renversé dans la baignoire. Owen a rempli les verres en vitesse.

— Quelle décadence, non? s'est-il exclamé en riant. La prochaine fois, tu prendras ton bain dans le sang de vierges… si on arrive à en trouver!

J'ai ricané, soulevé mon verre.

— Santé, Owen.

Il a fait tinter son verre contre le mien.

— Comme ma mère le disait si bien : « Du champagne pour mes vrais amis, de la vraie merde pour les faux!»

Nous avons trinqué en rigolant.

Dehors il fait une chaleur blanche. Pas un nuage dans le ciel. L'air sec, sec comme un os, miroite sur l'asphalte. En entrant dans le bar, je suis aveuglée. Je m'avance vers le comptoir, choisis un tabouret au bout, près de la desserte.

— Qu'est-ce que je te sers? demande la barmaid en levant les yeux de ses mots croisés.

— Une bière, s'il vous plaît.

— Oui, bien sûr, l'épineuse question du pro… nom, a dit Owen en me frottant les cheveux. On se la pose chaque fois. Si je porte le pantalon, faut-il dire « il »? Une jupe suffit-elle à faire de moi une dame? Pffft.

Il a posé une main savonneuse sur ma tête, qu'il a

inclinée vers l'arrière. Il a rincé mes cheveux à l'aide d'une cruche art déco.

— Les femmes changent-elles de sexe quand elles portent le pantalon? Pas que je sache. Allez, debout!

Je me suis levée en semant des bulles tout autour de moi. Owen m'a tendu une serviette rose géante.

— Tu n'as que la peau et les os, ma pauvre fille, s'est-il écrié sur un ton réprobateur. Comment vis-tu, pour l'amour du ciel?

Des images sans suite, vestiges des deux ou trois dernières années, ont défilé dans mon esprit. Le motel où j'avais habité au milieu de vieux bonshommes. En échange du gîte et du couvert, je travaillais aux côtés de splendides femmes à la peau brune. Je nettoyais la chambre des vieux messieurs, et j'ai appris à faire des lits sur lesquels une pièce de vingt-cinq cents rebondit, le genre de lit dans lequel je déteste dormir. Un autocar rempli de hippies habillés en noir, de militants idéalistes répandant la bonne nouvelle, je ne sais pas laquelle. J'avais cueilli des oranges, des raisins. Fait du stop. Bu, bu, bu encore.

— Je me sauvais, ai-je dit simplement en me drapant dans la serviette pour sortir de la baignoire.

Assise au bar devant ma bière, j'écris pour tuer l'heure réglementaire avant d'aller récupérer les photos. Il y a cinq ou six autres clients, tous des vieux. Quatre d'entre eux jouent au mah-jong dans un coin, un autre lit un journal à sensations. À la une, des éclaboussures rouges et noires, une tête fracassée ; à l'endos, le cul lacéré d'une fille. Quelqu'un a mis des pièces dans le juke-box et la voix juvénile de Frank susurre : « *Alcohol doesn't thrill me at all, but I get a kick out of youuuuu.* » Je finis par lever les yeux dans l'espoir de taper quelqu'un d'une cigarette et par hasard je vois le miroir accroché derrière le bar. Là, assis entre le juke-box et le mur du fond, il y a Freakboy. Il regarde droit vers moi.

Owen a partagé entre nous un ensemble écume de mer : la chemise de nuit en soie pour moi, la robe de chambre bordée de fausses plumes pour lui. Dans sa chambre, si petite que le lit l'occupait presque en entier, nous étions calés dans d'énormes oreillers blancs. Il a ouvert une autre bouteille.

— Tu es stupéfiante !

Il a rempli mon verre à ras bord. Du champagne rosé.

— Ça fait quoi ? Quatre bouteilles ? Et tu n'es même pas saoule !

Il s'est arrêté pour se servir, puis il a soupiré en portant le verre à ses lèvres dépourvues de rouge.

— Ça a été dur, hein ?

J'ai fait oui de la tête.

— Ça aurait pu être encore pire.

Il a souri. Un peu.

— C'est vrai, ce que tu dis.

Je me suis mise à ricaner.

— Mais ça aurait pu être beaucoup beaucoup mieux aussi !

Nous nous sommes écroulés de rire. Quand nous avons recommencé à souffler normalement, Owen avait les yeux pleins d'eau.

— Bon, a-t-il dit en épongeant une larme. Je pense que c'est le temps de jouer des tours au téléphone, c'est ce que font les filles quand elles invitent des amies à dormir. Allez, aide-moi un peu. Qu'est-ce qu'elles font, chère ?

J'ai haussé les épaules en faisant les gros yeux.

— Comment veux-tu que je le sache, merde ?

Nous nous sommes de nouveau écroulés de rire.

Le premier vers qui j'ai couru, c'est Jesse. Au bord de l'eau, sur une passerelle de merde en métal blanc. C'est là que c'était arrivé, apparemment. On aurait dit un bateau, mais c'était une fausse impression. En réalité, c'était un immeuble censé ressembler à un bateau, qui gisait sur le flanc. De là où j'étais, c'était vraiment laid. Drôle d'endroit d'où prendre son envol.

— Jesse, espèce de crétin, ai-je soupiré.

Puis j'ai jeté mon mégot dans les vagues noires et laides qui, loin sous mes pieds, tout en bas, roulaient, faisaient des moutons blancs, rongeaient leur frein dans l'attente du prochain qui se prendrait pour un oiseau.

— Et maintenant, tu joues encore à te faire désirer ?

J'ai tourné les talons et je suis partie. Loin.

— Pousse-moi.

    — Non.

    — Allez, pousse-moi.

    — Non.

    — T'as pas le choix.

    — Comment ça ?

    — Si tu me pousses pas, je vais te pousser, moi.

    — Dis donc, Cassy, quelqu'un a laissé ça pour toi.

C'était Leila, l'une des plus jeunes d'entre nous : petite, chauve, les oreilles et les sourcils percés sur toute la longueur, les narines et les lèvres aussi, un trait de rose allant des yeux jusque derrière les oreilles. Elle m'a tendu un énorme bouquet de roses. Devant une banque barricadée, nous étions assis à quatre ou cinq. Les passants nous ignoraient ou nous lançaient un regard sombre qui disait mon Dieu quel dommage, quel gaspillage.

    J'ai pris les roses.

— Qu'est-ce que vous voulez que j'en foute?

Les autres ont haussé les épaules.

— Elles sont de qui? a demandé Wiener d'un ton paternel.

Il faut dire qu'il était un peu plus vieux que nous.

J'ai lu la carte. *Merci pour tout. Pardonne-moi, je t'en prie, Alex,* disait-elle. L'écriture n'était pas de sa main à lui. J'en ai eu la chair de poule.

— De personne, ai-je dit. Allons les vendre.

Je sors du bar après avoir sifflé ma bière en trois gorgées, et Freakboy ne me suit pas. Il ne me suit ni dans la rue ni dans la boutique photos. Il ne m'attend pas devant chez moi.

J'étais debout au sommet d'un tas de blocs en béton dans un terrain vague à environ six pâtés de maisons du minuscule appartement que nous habitions, moi et maman. Elle était encore au travail. J'étais là en compagnie du garçon qui vivait au bout du couloir, celui dont la mère était censée veiller sur nous. Tous les après-midi, à quatre heures au plus tard, elle s'endormait devant la télé, où passaient des soaps, une bouteille de rye presque vide à côté d'elle. Nous prenions la bouteille, de toute manière elle ne se souviendrait de rien, et nous allions jouer jusqu'au retour de maman.

— Vas-y, ai-je dit. Pousse-moi.

— Non, a-t-il répondu.

Je l'ai poussé un peu, pas assez pour le faire tomber, mais quand même.

— Vas-y. Je dirai rien. Pousse-moi donc.

J'ai mis ma main en bas, à la recherche de la petite bosse dans son pantalon.

— Non, a-t-il répété en se détachant un peu. Je veux pas, Cassy. On peut pas juste jouer?

— Non. Pousse-moi. Pousse-moi, pousse-moi, pousse-moi!

Je l'ai poussé, plus fort cette fois, et il a riposté.

— Allez, plus fort. Pousse-moi jusqu'en bas! ai-je crié en souriant.

Il m'a poussée.

Vingt-quatre roses à un dollar pièce… Largement de quoi s'éclater pour cinq jeunes.

Juste avant le coucher du soleil, nous avons emporté notre butin dans le parc: une énorme bouteille de vodka et une bouteille de boisson gazeuse bon marché achetées au coin de la rue. Wiener a roulé un joint colossal à l'aide du papier super long que quelqu'un lui avait rapporté d'Amsterdam, et nous avons divisé l'alcool dans des verres en papier que Leila avait piqués dans un fast-food.

Freakboy ne m'a pas suivie dans le magasin d'alcool, il n'était ni le caissier ni le vieux monsieur à qui j'ai donné un dollar au coin de la rue. Je ne l'ai pas non plus trouvé, tassé tout petit petit, dans la première bière que j'ai ouverte.

Je suis tombée sur le côté droit, et ce sont surtout mon épaule et mon genou qui ont amorti le choc. Je suis restée allongée. Du gravier s'accrochait à tous les pores de ma peau, mon visage, mon épaule, ma cuisse, mon genou, et de petites éraflures ont commencé à saigner, à former des flaques. J'ai senti les premières douleurs des bleus que je m'étais faits. Je suis restée allongée là en riant. J'ai ri et j'ai ri et j'ai ri. D'en haut, le garçon qui vivait au bout du couloir a pointé le nez.

— Ça va, Cassy? a-t-il crié.

Je me suis assise, toujours hilare, et après m'être levée, j'ai entrepris l'ascension.

— Ouais, ai-je dit à bout de souffle. Allez, on recommence!

— Au gars des roses! a lancé Wiener en soulevant son verre.

— Au gars des roses! avons-nous repris en chœur.

— Dis donc, ma vieille, a dit Damon, assis à côté de moi, tu aurais intérêt à te farcir des riches plus souvent.

173

Freakboy n'était pas du nombre des promeneurs que j'ai croisés sur la plage en cette fin d'après-midi. Il n'était pas Terry, venu me surprendre par derrière. Ce n'est donc pas Freakboy que j'ai cogné.

— Merde, Terry. Je te demande pardon.

— T'en fais pas, a-t-il dit en se massant la mâchoire. Ça m'apprendra.

— Je veux pas te faire mal, Cassy, a dit le garçon qui vivait au bout du couloir.

— T'es gentil comme tout, ai-je répondu en débarrassant mon genou du gravier qui s'y était incrusté. Maintenant, pousse-moi !

J'ai ri et nous avons bu et fumé jusqu'à ce que le soleil se couche et encore pendant un long moment après.

N'ayant pas réussi à tirer grand-chose de Jesse, sinon deux ou trois vaguelettes, j'ai fini, je ne sais trop comment, par regagner la rue et la chambre d'hôtel où j'avais cru ne plus jamais revenir, saoule à nouveau ou pas encore dessaoulée, je ne savais plus faire la différence, la journée, la veille et l'avant-veille se tamponnant, formant une sorte de barbouillis en gros semblable à celui que j'avais autour des yeux. Mais j'étais là, ne serait-ce que pour un moment, ne serait-ce que pour m'étendre et crever. J'ai ouvert, la clé collait dans la serrure comme d'habitude, et la porte gauchie, en ruine, s'est coincée dans l'encadrement et j'ai dû donner un coup d'épaule pour entrer. À l'horloge, il était midi. Le long des murs lézardés et des piles de déchets, la lumière était d'un jaune mouillé poisseux. Personne.

Sur le sol, j'ai rapproché les trois coussins du canapé et je m'y suis laissée tomber. J'ai tout de suite perdu conscience, sale, puante, les bottes aux pieds.

Plus tard, il faisait sombre, c'était la nuit ou quelque chose du genre, je me suis réveillée et je suis montée sur le lit, nue et enfin sans bottes, je me suis vautrée dans les draps, qui n'avaient pas été lavés depuis Dieu sait quand et qui sentaient la sueur, le sexe, mais aussi le sommeil et une manière de réconfort. Je n'avais rien dans le ventre, mon ventre lui-même lové sur une absence totale, du vide. Je ne sentais même pas la faim. C'était du vide. J'ai fermé les yeux.

— Meeeeeerde!

Thom est entrée avec fracas dans la chambre, fin saoule. Il faisait noir, plus noir qu'avant. Elle pleurait, arrachait ses vêtements en marchant, en titubant. Elle s'avançait vers le lit. Elle s'est approchée de moi, imbibée d'alcool, puante, ses lèvres rouges barbouillées exhalant une haleine brûlante. Dans la lumière du lampadaire qui entrait par la fenêtre, j'ai vu son maquillage noir qui coulait, semblable au mien, s'il m'en restait. Elle m'a regardée dans les yeux.

— C'est toi, Cassy? Cassy? C'est toi? Merde, Cassy, c'est toi, j'suis contente! Le maudit Ricky m'a plantée là encore une fois, j'étais seule, ils m'ont fait pisser dans un verre et… Merde, Cassy… Je suis foutue.

Je me suis relevée et je l'ai attrapée quand elle s'est moitié assise moitié effondrée sur le lit.

— Qu'est-ce que j'vais faire, Caaaassy, qu'est-ce que j'vais faiiiiire?

J'ai repoussé ses cheveux collés à son visage, ses yeux et ses lèvres.

— À propos de quoi, ma belle? ai-je demandé en essuyant des traces de vomissure au coin de sa bouche.

Elle n'a rien dit, s'est absentée d'elle-même pendant un moment. Puis elle a repris connaissance, a regardé dans le coin où nous empilions nos bouteilles vides en prévision du jour du marché.

— J'suis enceinte, Caaaaassy, merde! a-t-elle gémi.

Puis elle a enfoncé son visage dans la couverture brune trop mince qui ne nous gardait jamais au chaud.

Ce que j'ai vu, c'est lui. Il me regardait comme si j'étais un trou. Je l'avais rencontré une fois ou deux. En sortant de chez Thom, nous sommes tombées sur lui : chemise bon marché sortie du pantalon, jambes écartées sous le gros ventre. On l'aurait dit accroupi sur le trône de son fauteuil. Il nous a souri.

— Mesdemoiselles, a-t-il dit d'un air lubrique, allez donc les contenter, ces garçons. Allez leur montrer de quel bois vous vous chauffez.

Moi, je me disais, je pourrais te faire tuer, espèce d'enculé, espèce de gros tas de merde.

— Salut, papa, a dit Thom en lui faisant un geste de la main, en route vers la porte.

Moi, je lui ai fait un doigt d'honneur, mais il n'a rien vu. Déjà, il s'était retourné vers la télé. Thom a dû revenir furtivement me chercher dans la pièce, où j'étais restée pour vouer son âme aux feux de l'enfer en foudroyant du regard l'arrière de son crâne chauve et aveugle.

Ses épaules étaient minces, on aurait dit que ses os pointus allaient trouer sa peau. Rien qu'à la voir bouger, j'avais mal. J'ai mis mes bras maigrichons autour d'elle. Pas de force pour la serrer, pas grand-chose à serrer. Quand on est tout le temps malade, on l'oublie.

— J'peux pas avoir un bééééébééééé, r'garde-moi !

Elle s'est assise, des cheveux pleins la figure, la poitrine nue, incandescente dans la lumière du lampadaire. Elle a commencé à se boxer le ventre.

— Non, non, répétait-elle, prostrée.

Elle a continué de se cogner jusqu'à ce que je réussisse à lui plaquer les bras derrière le dos. Elle a appuyé sa tête sur mon épaule, où elle a collé à cause des larmes et de la morve. Elle a pleuré. Et pleuré. Après, elle a pleuré encore. Elle a pleuré jusqu'au tarissement de ses larmes, puis elle a continué de sangloter à sec, toujours soudée à moi.

C'est là, contre mon épaule, qu'elle a perdu conscience. Je l'ai bordée. J'ai mouillé une serviette à la salle de bains au bout du couloir et j'ai essuyé les larmes, la morve, les vomissures croûtées, les derniers vestiges de maquillage. J'ai lissé ses cheveux et je l'ai flattée comme un chat jusqu'à ce qu'elle commence à respirer un peu plus librement, pelotonnée contre moi.

Image numéro 1 : une maison basse, blanche, devant laquelle trône un cerisier en fleurs. Du côté droit, un homme se penche. Pour déposer ou ramasser quelque chose ? Sur la photo, tout est blanc, pâle, aveuglant, sauf les fleurs de l'arbre, explosion de rose fillette.

Image numéro 2 : des enfants traînent dans la rue. Ils ont au plus dix ans et au moins deux ans, ils ont des éraflures aux genoux, ils sont sales, déguenillés. L'un d'eux tient un ballon de football en piteux état et sourit de toutes ses dents. La fille à côté de lui a des yeux de louve, d'une teinte de bleu si pâle qu'ils semblent presque blancs. Prête à tuer. Elle donne l'impression d'en être capable. À la voir, on dirait qu'elle y prendrait plaisir. Et elle se fend d'un mince sourire, un petit sourire sinistre pouvant signifier bien joué, vous serez récompensé ou encore dommage pour vous, mais moi je vais bien m'amuser à vous faire la peau.

Image numéro 3 : l'intérieur de ce qui a toutes les apparences d'une boîte à chaussures.

Image numéro 4 : l'extérieur de la boîte à chaussures, posée au milieu d'une ruelle. Dessus, quelqu'un a écrit au marqueur noir : *CHEZ MOI*.

Image numéro 5 : la main droite de de Leppy. Le pouce, l'index et le majeur intacts, la moitié de l'annulaire absente, l'auriculaire amputé sous la première phalange. Par endroits, la peau brun foncé est mousseuse avec des plaques rose vif. Ces taches n'ont de sens que lorsqu'on songe à un objet qui explose.

Image numéro 6 : la main gauche de de Leppy. Le majeur et l'annulaire ont entièrement disparu.

Image numéro 7 : la jambe gauche de de Leppy. Amputée à mi-cuisse, bien au-dessus du genou. La jambe de son pantalon, débarrassée des épingles de nourrice, est retroussée et révèle le moignon, rose vif et brun lui aussi. Le rose donne l'impression d'être en ébullition. La peau, là où elle n'est pas brûlée, est lisse comme du vieux bois sombre, du cerisier teint.

Image numéro 8 : le pied droit de de Leppy.

Image numéro 9 : l'œil gauche de de Leppy, flou, brun et énorme.

Image numéro 10 : l'œil droit de de Leppy, flou, baladeur, à moitié fermé, d'un bleu laiteux.

Image numéro 11 : plan flou d'un train. Quand on la regarde attentivement, on comprend que la tache rouge est une femme, debout, qui regarde par la fenêtre.

Image numéro 12 : un parc aquatique de ruelle formé par une gouttière s'écoulant sur un amas de boîtes de conserves, de bouteilles et de seringues.

Image numéro 13 : une très très vieille femme vue de très loin.

Image numéro 14 : gros plan de la joue de la très très vieille femme. Pour une fois, l'image est au point et le relief de la joue ressemble à la carte d'un territoire aride autrefois parcouru d'innombrables cours d'eau minuscules.

Image numéro 15 : une jeune femme vue de loin.

Image numéro 16 : une joue jeune, semblable à une carte en relief, tout en velours et en ombres.

Image numéro 17 : à nouveau le pied droit de de Leppy, chaussé. Le bout de sa chaussure pointe vers le soleil de midi, haut derrière lui. Pour ce plan, il s'est allongé sur le trottoir.

Image numéro 18 : du noir.

Image numéro 19 : du noir.

Image numéro 20 : l'intérieur d'un tunnel ferroviaire interdit et désaffecté, que seul éclaire le flash de l'appareil de de Leppy.

Image numéro 21 : le magasin d'alcool. Des rangées de bouteilles, lustrées et immobiles. En dessous, des cartons écrits à la main indiquant les prix et les soldes en caractères gras.

Image numéro 22 : un vieux type sur le perron de l'immeuble voisin du magasin. Il s'appelle Francis. Il sourit devant l'objectif d'un air béat. Il porte une croix en bois autour du cou. Francis n'a jamais mis les pieds à l'église, mais, comme le clame de Leppy : « Il dit qu'il est un moine, il vit comme un moine, c'est un putain de moine. » C'est un moine.

Image numéro 23 : de Leppy en train de boire, assis au même endroit.

Image numéro 24 : des jambes de femme, nues dans la chaleur de l'été, une jupe en coton dont l'ourlet effleure les genoux, la jambe droite devant, la gauche derrière, légèrement dans l'ombre.

J'ai plaqué un couteau contre son ventre, sous son manteau, pour que personne ne voie.

— T'approche pas, l'ai-je prévenu.

— Allons, Cassy, on peut parler, quand même, a supplié Alex.

— Pas question. T'es un maniaque. Fous-moi le camp.

Il m'avait trouvée dans la rue, ivre. Lui, pas moi. C'était une petite semaine. En l'apercevant, je m'étais enfuie en direction du quartier touristique en passant par les ruelles. La foule a parfois des avantages. Nous étions près d'une vieille horloge qui sonne tous les quarts d'heure, et tous les quarts d'heure se forment là des grappes de touristes qui photographient les aiguilles de l'horloge. Il était quatre heures six de l'après-midi. Neuf minutes avant le prochain attroupement.

— Pardon, Cassy. Je ne voulais pas te faire peur. C'est juste que… c'est comme ça que je suis quand j'aime beaucoup quelqu'un. Je veux l'avoir près de moi tout le temps, a-t-il expliqué.

— Bravo. Heureuse de voir que tu es en prise avec tes émotions. Je parie que tu dors comme un bébé. Trouve quelqu'un d'autre à aimer, Alex.

Je l'ai repoussé contre l'horloge, puis je me suis penchée à son oreille :

— Je crois pas que ça va marcher, nous deux.

— On dirait que tu as vu un fantôme, dit Terry. Ça va ?

Nous marchons sur la plage. Il a une marque sur la joue, mais je n'ai pas écorché la peau. Dans deux ou trois jours, on ne verra plus rien.

— J'ai aperçu Freakboy.

— Où ça ?

Terry s'arrête, regarde autour de lui, comme si Freakboy, caché derrière un arbre ou un des pilots de la promenade, risquait de surgir à l'improviste.

— Plus tôt, au bar. Il était là, assis, à me regarder, comme quand je travaille. Il ne m'a pas suivie ni rien. Il ne m'a probablement pas reconnue, sans ma queue. Mais c'était, tu sais...

— Sinistre ?

— Ouais.

Il m'a regardée dans les yeux, s'est penché pour m'embrasser.

— Pousse-toi, Alex, merde, ai-je dit en le plaquant contre l'horloge.

Il s'est penché de nouveau et j'ai suivi le mouvement, sans savoir pourquoi.

Il a dit de petits mots haletants entre nos lèvres, des mots à peine audibles. J'ai reculé, décollé mes lèvres des siennes.

Moi et Terry, nous venons de nous rencontrer, nous sortons du bar, il vient de s'installer en ville ou quelque chose du genre, paf, nous ôtons nos vêtements puants, tachés de sueur, il a levé les yeux sur moi en s'escrimant sur mes jarretières. Je les ai défaites. Moi et Terry, dans sa maison, il y a de la place pour se tenir debout. Un lit vers où se diriger, un lit où tomber, un lit où frotter sa peau contre celle d'un autre, un lit à tremper.

Moi et un garçon qui vit au bout du couloir, ses genoux couverts de croûtes plaqués contre moi, incertain de ce qu'il faut faire, ses mains nerveuses comme des oiseaux, me touchant à peine, décrivant des cercles, en quête d'un endroit sûr où se poser.

Et c'est ainsi que les choses se sont passées et c'est ainsi qu'elles se passent chaque fois, depuis la première, avec ce garçon, il y a longtemps, c'est ainsi que ça se passe toujours. Soudain nous étions en train de baiser. De baiser. Il n'y avait rien d'autre, rien que ça, le parfum chaud de la peau en été, la sensation entre nous de la peau, de la peau qu'on déchire pour trouver cette chose, cette chose, l'origine de l'odeur, cette chose qu'on assimile à du sens. Friction dans un nuage lesté de pluie, friction d'où naît le tonnerre, le ciel semble s'entrouvrir, grand, plus grand, jambes lourdes et humides et douces, il laisse tomber ses trombes, et l'éclair montre les dents dans le ciel, nous mord, petits et trempés jusqu'aux os, impatients de recommencer. Percer un trou dans une peau tendre et tiède, trouver le pouls de l'autre, le sucre au milieu de la canne. Nous baisions en disant entre nos lèvres des mots que je n'écrirai jamais, des mots qui n'ont pas vraiment de sens en dehors de ça, de cette chaleur, de ce sexe, de cette potion. De cette seconde.

Et c'est terminé.

Et le garçon s'est empêtré dans son pantalon de velours brun, brun caca d'oie, accroché à ses chevilles sur le linoléum vert jaune. Nous étions dans le couloir, petit palier conduisant au toit. Il ne m'a même pas regardée.

— À la prochaine, Cassy.

Il a détalé. J'ai ouvert la porte. Le jour tombait et le soleil diffusait une lumière blafarde, laine obscurcie par le smog posé bas sur la ville. Je suis sortie.

Je me suis détachée d'Alex en m'appuyant au mur de briques de la ruelle. Il m'a agrippée par le poignet.

— Viens avec moi, Cassy, a-t-il dit. Je t'en prie. Viens vivre avec moi. Ne t'en va pas. S'il te plaît.

J'avais besoin d'un bain. Alors j'y suis allée, pour un temps.

Celui-là était étrange. Celui-là et moi étions recroquevillés dans la lumière blanche du matin. De nos bouches jaillissaient des mots, d'autres mots que je n'écrirai jamais, plus de mots que je me serais crue capable d'en inspirer. Et même si je ne me suis pas endormie avec lui, là, je me suis dit, pour une raison que j'ignore, que j'y serais arrivée.

Je me suis réveillée toute seule dans le lit. Dans cette chambre aux fenêtres grillagées et au rideau jaune pâle accroché à un rail branlant. Il n'y avait personne. Comme avant, comme rien. Une pâle lumière montait de la rue, des lampadaires qui s'incurvaient, tout petits, loin sous moi. Le ciel sombre m'a avalée quand je l'ai regardé. Maman n'était pas venue me voir. Je ne savais pas où elle était. Pony avait disparu. J'avais mal, et pas seulement à cause des points de suture qui grattaient le long de mon dos, pas seulement à cause des plaques sanglantes, recouvertes de gaze, sur mon crâne. Maman se tirerait d'affaire sans moi, mais Pony, c'était une autre paire de manches. Les draps du lit étaient trop tirés, ils me clouaient au matelas. La porte était ouverte, laissant entrer la lumière du couloir. Une femme en blanc est passée sans faire de bruit.

Il faisait clair. Toutes les lumières étaient au maximum. Il avait tout laissé allumé, mais la musique qui jouait, peu importe ce que c'était, avait cessé. On n'entendait que le grésillement des guitares abandonnées faisant vibrer les haut-parleurs. Des sons parasites bourdonnaient dans la pièce stérile.

— Alex?

J'ai posé mes sacs dans le couloir et j'ai jeté mon blouson dessus. J'étais agitée à cause du manque de sommeil, de toutes les bouteilles qu'il avait fallu oublier. J'ai parcouru l'appartement, la pièce au sol recouvert de pièces d'un cent, celle dans laquelle il y avait un lit, puis j'ai entendu de l'eau couler. J'ai ouvert la porte de la salle de bains.

— Qu'est-ce que tu fous, Alex, merde?

Il m'a regardée comme si, de nous deux, c'était moi qui étais folle, a tendu vers moi une lame de rasoir.

— Couuucouuu!

Il souriait largement en essayant de la pointer vers moi, mais il menaçait plutôt la moitié de la pièce.

— Arrête ça, Alex, merde, veux-tu?

Je lui ai coupé la main en lui prenant la lame.

— Booooboooo!

Il a brandi sa main sanguinolente pour que je la guérisse à coups de bisous. Je l'ai repoussée.

— Bobo, ouais. Allez, sors de cette maudite baignoire.

L'eau était toute rose à cause des coupures à son bras. Longues et fines, elles s'entrecroisaient près de son poignet, mais pas en profondeur.

— Nooooon. C'est chez mooooi, ici.

Il a souri et repêché dans l'eau une grosse bouteille de Jim Beam presque vide. Après avoir tenté de la déboucher, il me l'a tendue.

— Pas question. Je te mets au régime sec, mon vieux.

Je l'ai remis sur pied en le soulevant par les aisselles. Là, mouillé et dégoulinant, il a ri de moi.

— Quoi ? ai-je demandé en prenant une serviette derrière la porte.

— Tooooi, a-t-il répondu en me montrant.

— Ouais, t'as raison, je suis tordante.

J'ai fait la béquille humaine pour le transporter jusqu'au lit. Il n'a pas cessé de rire.

— Bonne nuit, Alex.

Il rigolait toujours.

J'ai fermé la porte de la chambre, pris la bouteille qui flottait dans l'eau de la baignoire et je l'ai finie là, parmi les empreintes sanglantes et mouillées qui souillaient le sol de notre minable salle de bains.

Nous marchons sur la promenade, Terry et moi. J'ai un ou deux trucs à remettre à de Leppy. Nous nous arrêterons peut-être boire un verre quelque part.

— Cassy, dit Terry sans crier gare, la bouche pincée.

Je le regarde.

— Quoi ?

— Des fois, Cassy, je me demande ce que tu penses que nous faisons.

— Euh… Là, nous faisons une agréable petite promenade, non?

— Non, je veux parler de ce que nous faisons ensemble, toi et moi, tu comprends?

Je rigole.

— T'as raté un cours d'éducation sexuelle ou quoi?

Il s'arrête, pose une main sur mon bras.

— Sois sérieuse, tu veux? Je me demande si ça vaut la peine que je continue. Je me demande si ça compte pour toi que je sois là ou pas. Je veux être là, tu sais, mais des fois je trouve que tu compliques beaucoup les choses.

Fuck. Qu'est-ce que j'ai encore fait? Ai-je commis une erreur de parcours? Ou est-ce lui? Excusez-moi, mais depuis quand avons-nous des… conversations, nous deux?

— Ça va, Terry?

Je le dévisage en plissant les yeux.

— T'es allé à un atelier sur les sentiments ou quoi?

Il lâche mon bras, le repousse en marmonnant:

— Va te faire foutre!

Il s'arrête. Nous sommes immobiles au milieu des passants qui vont et viennent de chaque côté comme si nous n'étions pas là.

— Non, Cassy. C'est juste que, des fois, j'ai l'impression d'avoir affaire à une automate. La plupart du temps, c'est comme si t'étais même pas là. Quand t'es là, on dirait que tu t'en fous. Alors qu'est-ce qu'on fait, merde?

L'ascenseur s'est arrêté à mon étage, quelqu'un en est descendu et s'est engagé dans le couloir. J'ai agité les pieds dans l'espoir de desserrer le drap, si tendu qu'il me faisait mal. J'ai essayé de m'asseoir. Le drap m'a étranglée. Je me suis recouchée. J'ai pris une profonde inspiration. J'ai eu mal, mais tant pis. J'ai repoussé le drap, qui s'est froncé autour de ma taille, et j'ai fait glisser mes jambes et mes pieds. Puis je suis sortie tant bien que mal du lit, pareille à un bernard-l'hermite devenu trop gros pour sa coquille. J'ai fait quelques pas. Un tube en plastique planté dans mon bras me retenait. Je l'ai arraché et je suis sortie.

J'ai posé la bouteille sur la tablette de la salle de bains et j'ai essuyé la vapeur du miroir pour voir à qui diable j'avais affaire. Dans la chambre voisine, Alex tournait en rond en farfouillant. Il ne riait plus. Une mèche me barrait le visage. Je l'ai repoussée derrière mon oreille. Malgré la vapeur, je voyais bien que ma peau avait une teinte malsaine, d'un bleu qui, autour des yeux, tendait vers le meurtri. J'ai enlevé ma chemise. Je voyais mes côtes. J'ai ôté le reste. Des bleus partout. Des brûlures. Des marques de dents dans les creux jaunâtres le long de mes cuisses. J'ai fermé les yeux, pris deux ou trois grandes inspirations. Je les ai rouverts. Dans la baignoire, l'eau rose avait refroidi. J'étais nue, debout dans du sang dilué. Je me suis rhabillée, puis je me suis dirigée vers la chambre, dont j'ai ouvert la porte, juste un peu. Alex, flambant nu, était affalé sur le lit, du ruban adhésif rouge sur les deux poignets jusqu'à la hauteur des coudes, inconscient. J'ai refermé tout doucement.

— Alors ? demande Terry.

Je contemple un vague point à mi-distance, le cerveau en panne. Je me dis : il me force à être dégueulasse. Je me dis aussi : je le suis.

— Cassy ?

J'entends une voix.

— Est-ce que tu m'écoutes, au moins, merde ?

Je n'y arriverai jamais. Quoi que je fasse, je n'y arriverai jamais.

— Cassy ? Allôôôôôô ?

Il me touche le bras, et je n'arrive pas à détacher les yeux de l'horizon. Un pétrolier passe. Dans la perspective du lointain, qui déforme tout, il a la taille de mon petit doigt.

Je me détache de Terry, j'arrache mon bras à l'emprise de ses doigts. Je fais un pas en arrière, je ferme les yeux, je les frotte, j'appuie mes doigts très fort contre mon visage. Je sens sa présence. Il attend.

— Donne-moi une minute, tu veux ? dis-je en respirant à peine entre mes doigts.

Une lumière s'est allumée dans une sorte de petit box vitré. Une femme en blanc s'est penchée. Un téléviseur miniature chatoyait, l'image reflétée dans la vitre. En retenant mon souffle, je suis passée juste à côté d'elle. Le long du couloir, les portes étaient entrouvertes. En gros, il n'y avait rien, sauf des ombres spectrales, des vagues blanches, des rideaux voilant des respirations mouillées et lourdes, des pleurs, des imprécations, des quintes de toux, des haut-le-cœur. Le silence ambiant amplifiait ces bruits. J'ai cherché ma petite sœur dans toutes les chambres. J'ai arpenté tous les couloirs que j'ai trouvés. Je suis allée partout sans savoir où.

Dans l'autre pièce, celle au sol en cuivre, j'ai ouvert la porte vitrée sans me donner la peine de tirer les stores. Je me suis faufilée entre les lattes. La nuit était douce. L'air lourd laissait sur tout une empreinte humide. J'ai respiré, puis j'ai réfléchi un moment. Je suis rentrée prendre mon sac, mon manteau, mes petits souvenirs. Ces choses, pour une raison que j'ignore, m'ont semblé importantes. Assez pour que je rentre les chercher.

Je ne sais pas, je ne sais rien du tout.

— Il faut qu'on fasse quelque chose ?

J'ai posé la question entre mes doigts, les yeux hermétiquement clos. De petites lumières clignotent dans mon cerveau.

— Je sais pas, Cassy, dit-il. Qu'est-ce que t'en penses ?

Thom et moi étions de retour à la clinique.

— Combien d'entre eux nous prennent pour des gouines ? a-t-elle chuchoté à mon oreille en battant des cils pour envelopper l'ensemble de la pièce dans sa question.

— Tous, ai-je répondu à haute voix en passant mon bras autour de ses épaules.

— Qu'est-ce qu'il y a ? ai-je demandé à l'homme assis à côté de nous.

Il avait beau faire semblant, il avait surpris notre échange.

— Vous ne trouvez pas l'amour juvénile sublime ? Qu'est-ce qu'il y a ? Nous allons avoir un bébé, vous savez.

Il a eu un petit rire étouffé et s'est replongé dans la lecture de son magazine féminin.

J'ai embrassé Thom sur la joue.

SMAC.

Pendant le reste du trajet, nous ne parlons pas beaucoup. Je crois que je n'en suis pas capable et je ne crois pas que Terry en ait envie. Je m'arrête au magasin d'alcool, où j'achète une bouteille pour nous et une pour de Leppy, que nous trouvons au coin, en train de bavarder avec Francis.

— Salut, les garçons, dis-je en tendant la bouteille et la pile de photos.

— Hum… Essaierais-tu de saoûler deux vieux ivrognes, par hasard ? demande Francis en souriant.

Il porte la même croix de bois que d'habitude, la même vieille robe de chambre nouée à la taille par un bout de chaîne, les manches et le dos maculés de chiures d'oiseaux. Liquides d'abord, elles ont séché.

— Où sont les oiseaux ? demande Terry en montrant la merde.

— Ils vont et viennent. Je ne retiens rien, répond Francis en ouvrant les bras et en souriant d'un air béat.

Il m'a attrapée dans les tibias à l'aide d'une chaise en chrome à pattes carrées, l'élément de surprise lui procurant un avantage temporaire.

— Alex ! ai-je crié.

En me retournant, je lui ai donné un coup d'épaule, le plus fort que j'ai pu.

— Arrête ça tout de suite, merde !

Il est tombé à la renverse, empêtré dans la chaise, en riant. J'ai couru dans le couloir, où j'ai récupéré mon sac et mon manteau. Je l'ai entendu trébucher dans l'autre pièce. Je me suis dirigée vers la porte en évitant de faire du bruit. Il a dû courir, il n'avait pas dû tomber pour de vrai parce que, inexplicablement, il m'a rattrapée. Il a agrippé un de mes poignets par derrière, puis il m'a plaquée contre le mur.

— Où tu vaaaas comme çaaaa? a-t-il demandé sur un ton cajolant.

Il s'appuyait sur moi de tout son poids, retenait mes poignets derrière mon dos. Je sentais sur moi son haleine brûlante, chargée.

— Où je veux, bordel, ai-je répliqué en me tortillant. J'en ai assez de cette merde, merde!

Je me suis dégagée et j'ai couru vers la porte coulissante. Il l'avait bloquée. Un balai fiché dans le rail l'empêchait de bouger. Je me suis penchée pour l'enlever. Là, je me suis aperçue que mes bras étaient parcourus de lignes rouges fuyantes. Le sang coulait tout doucement par terre.

Nous attendions le médecin dans la salle de consultation.

— Elle va me dire que c'est mal, non? Elle va me dire que j'ai tout foutu en l'air? Merde!

Thom s'est enfoncé la tête dans les mains, s'est appuyée sur ses genoux. Je lui ai flatté le dos. La femme docteur est arrivée.

— Salut, les filles! a-t-elle lancé gaiement. Vous allez bien?

Thom a redressé la tête, risqué un sourire.

— Ça va.

— Les nausées matinales ? a demandé la femme en consultant le dossier de Thom.

— C'est mieux.

— J'ai reçu les résultats des tests et tout est beau. Si tu restes sobre, tout devrait bien aller.

Elle a souri, dévoilant des dents d'une blancheur éclatante.

— Pas d'alcool, pas de cigarettes, pas de drogue, a-t-elle poursuivi. Essaie de bien te nourrir et de dormir assez. Et toi, a-t-elle ajouté en se tournant vers moi, occupe-toi d'elle. Elle a besoin de quelqu'un.

— C'est sous contrôle, ai-je répondu.

— Où est le père, déjà ? On le connaît ? a demandé la femme en consultant de nouveau son dossier.

— Il ne sera pas dans le décor, ai-je répondu.

Thom a posé sa main sur la mienne. Je l'ai serrée, fort.

— Bon, dans ce cas, c'est une affaire entre vous. Je vais vous donner des informations.

Elle a choisi quelques dépliants. Il y en avait toute une pile : guides alimentaires, diagrammes sur les stades de développement, *Votre bébé et vous*.

— Si vous êtes d'accord, je vais aussi fixer quelques rendez-vous avec une conseillère.

Nous avons fait oui de la tête. Nous avions besoin d'aide, de beaucoup d'aide.

De Leppy prend ma photo.

198

Un flash a explosé derrière moi, j'ai vu son reflet dans la vitre de la porte coulissante. Je me suis retournée lentement. Alex, flambant nu, était accroupi, un appareil photo dans ses mains mutilées. Sa queue pendait lourdement entre ses jambes. Ses coudes laissaient tomber de grosses gouttes de sang, qui trempaient la moquette. Il s'était mutilé les bras, sur lesquels de petits objets brillants faisaient saillie tous les cinq centimètres.

— Qu'est-ce que t'as foutu, Alex? ai-je demandé d'une voix lente et basse.

Il a ri, puis il est venu me montrer en courant, fier comme un enfant brandissant son premier dessin.

— Qu'est-ce qu'on va faire pour s'amuser? a demandé Thom.

Nous marchions dans la rue, après la visite à la clinique.

— Sais pas, ai-je répondu. Qu'est-ce qu'ils font, les autres?

— Sais pas. Ils passent la journée au spa? Ils vont au centre commercial? Ils taillent leurs haies?

Nous avons ri. Dans l'autre rue, nous nous sommes arrêtées devant le magasin de jouets où on présente des dessins animés toute la journée. Sans même nous consulter, nous sommes entrées et nous nous sommes plantées devant la télé.

Moi et Terry marchons dans la rue. Arrivés au carrefour de la rue qui mène en ville, nous bifurquons plutôt vers le boardwalk.

— Dis donc, Cassy, fait-il enfin.

— Ouais?

Il s'arrête, me regarde.

— C'est quoi, ton problème?

Je me suis pétrifiée pendant une seconde. Merde. Et moi qui pensais qu'il n'avait rien remarqué.

— À quel propos? dis-je pour gagner du temps.

— Ça suffit, Cassy. Réponds donc franchement à ma question, pour une fois.

Il sort deux cigarettes, les allume, m'en tend une. Nous nous assoyons au bord de la promenade, les pieds dans le vide.

— D'accord, dis-je. Je vais te répondre franchement. Vas-y.

Il hésite, tire longuement sur sa cigarette. Me regarde.

— T'as pas envie de quitter ta voiture, des fois?

— Non, dis-je en battant des pieds. Ça te va comme franchise?

— Ouais. Autre chose.

Il évite mon regard, prend une profonde inspiration, comme avant de plonger.

— C'est qui, Henry?

Le ruban rouge qui lui bandait les avant-bras était troué : des pointes de rasoir, enfoncées profondément dans la chair de ses bras, perçaient sa peau un peu partout, au hasard. Il a ri et lancé ses bras autour de moi, comme s'il voulait me serrer contre lui, me taillader les épaules et le dos à coups de lames de rasoir. Il a pris ma tête en étau entre ses mains, a collé mon oreille à ses lèvres.

— Je t'emmène avec moi, Cassy.

Dans ma tête, ses mots ont produit un bruit de ferraille.

— Il faut que tu viennes, toi aussi.

— Où tu vas, Alex ? ai-je murmuré.

Il a souri de toutes ses dents. Des vapeurs empuanties par l'alcool montaient de son ventre. Il a tiré une des lames de rasoir de sa chair, me l'a fait voir. Dans la quasi-obscurité, elle jetait des reflets brillants. Il a tendu la main et, presque tendrement, presque avec douceur, l'a appuyée contre mon cou.

— Je rentre chez moi, a-t-il lancé.

Comme si l'explication était suffisante, comme si ça voulait dire quelque chose.

Assises par terre dans le magasin de jouets, nous avons regardé de vieux dessins animés, vu des animaux comploter les uns contre les autres, véritables leçons de cruauté, encore amusantes après toutes ces années, à l'intention des petits bouts de chou, nous avons vu des chats chasser des souris, des souris chasser des chats, des coyotes bourrés d'explosifs, des lapins en uniforme militaire, des lapins travestis, un chien vieux et gros, seul cœur tendre de la bande, qui a promené un chaton. Nous avons ri tout l'après-midi. Le vendeur nous a refilé des bonbons, puis il est venu s'asseoir un moment. Il avait le même âge que nous.

— Pardon?

— Henry? Qui c'est? J'ai trouvé des lettres par terre, dans ta voiture. Ce matin, des papiers sont tombés du toit, je les ai ramassés. C'était des lettres d'un certain Henry Smoller. Qui c'est, Cassy, merde? Je savais même pas que t'avais une boîte postale!

T'as pas embauché le bon détective, faut croire, me dis-je. Merde. C'est pas vrai.

Je secoue la tête.

— Fais pas ça, Terry.

— Pourquoi, Cassy? Pourquoi tu veux pas que je te parle de ce type? Tu baises avec lui?

Je n'arrive même pas à le regarder en face. Pour un peu, je crierais. Je pleurerais. Je risque aussi de dire un gros mot, de le dire très fort. À la place, je deviens tout électrique et dure.

— Bon, voilà qui conclut notre petit exercice de franchise. Merci d'avoir joué et meilleure chance la prochaine fois, dis-je doucement en me remettant debout.

— Attends, Cassy, t'en va pas, dit-il.

Il se lève péniblement et pose la main sur moi.

— Non!

J'ai failli crier. Je me dégage.

— T'as tout gâché. Il y a des questions qu'on pose pas, tu comprends ?

Il met les mains sur son visage et s'étire les joues comme dans les dessins animés en poussant un aaaah exaspéré.

— Et puis merde. Tant pis. Oublie que j'ai eu envie de te connaître. Baisons et restons-en là, d'accord ?

— D'accord, dis-je en écrasant mon mégot sur le bois gauchi de la promenade.

— Cassy.

Ses mains s'agitent dans tous les sens, cherchent une bouée à laquelle s'accrocher, une partie de moi qui ne risque pas de lui glisser entre les doigts. Ma tête me fait mal. Le moindre contact me fait mal. Je m'esquive.

— Plus tard, tu veux ? dis-je en m'éloignant déjà.

Je me couvre le visage.

— Je peux pas maintenant, Terry.

Je m'enfuis, je sens ses pas résonner sous mes pieds. Il court derrière moi. Je ne m'arrête pas. Au bout d'un moment, ses pas se mêlent aux autres. Je ne sais même plus s'il est encore là, s'il marche encore, juste derrière moi.

J'ai rabattu son bras, puis je l'ai repoussé. Je l'ai entendu entraîner une étagère dans sa chute. Cette fois, j'ai filé tout droit vers la porte, j'ai tiré le verrou de toutes mes forces, puis j'ai ouvert. Par l'entrebâillement qui rétrécissait, j'ai eu, pendant une fraction de seconde, une dernière image de lui. Il était vautré contre le mur, sa bouche ouverte en un rictus, ses mains s'efforçant de repousser les livres, les papiers et les babioles tombés sur lui. Il saignait, riait toujours, perdu dans un rêve mauvais. J'ai couru sans savoir où j'allais, n'importe où mais pas là. J'ai juste continué, pendant un long moment.

Nous nous sommes réveillées tôt, puis nous avons marché dans la rue vieille et grise. La pluie de la veille avait lessivé la crasse sur les fenêtres et le béton, laissé un faux lustre sur le monde. J'ai respiré. Lourd, l'air était lourd.

— Il se prépare quelque chose, a dit Thom.

— Je sais, ai-je répondu.

Nous avions l'impression que personne n'avait rien fait avant nous. Juste marcher dans la rue, c'était la nommer. Nommer la rue, nommer l'action qui consiste à marcher, c'est une activité flambant neuve, n'est-ce pas extraordinaire ?

Chaque matin, un vieux type chantait « You Are My Sunshine ». Là, le propriétaire du magasin de tabac soulevait le rideau métallique devant sa porte, son ventre, à peine retenu par un t-shirt sale d'AC/DC, pendant au-dessus de la boucle de sa ceinture. Les putes rentraient chez elles d'un pas chancelant, perchées sur leurs chaussures à talons hauts en vinyle, le cul à l'air, les bras serrés contre leur poitrine presque nue pour se protéger du froid matinal.

Parfois, mettre des mots sur les choses, c'est comme les salir. Alors il arrive qu'on ne puisse rien dire. Nous avons marché.

Il y a quelque chose de sérieusement détraqué dans ma tête. Sur le boardwalk, je m'éloigne de Terry, je m'éloigne de chez moi, loin, loin, loin. Je ne veux jamais m'arrêter, je fonce, fonce, fonce. Les requins meurent s'ils cessent de nager, ils vivent en mouvement perpétuel. Je m'éloigne, je bouge, je suis loin.

Je marche vers l'eau. Je suis de l'autre côté de la baie, loin de chez moi. En plissant les yeux, j'arrive à voir la lumière se refléter sur le pare-brise. Je ne travaille pas, ce soir. C'est jour de congé, un répit, un repos.

Je descends sous l'eau.

Ils m'ont donc suivie, un jour que j'allais retrouver Rolly. Ils étaient nombreux, si nombreux que je n'aurais pas su les compter. Certains plus petits que moi, d'autres plus grands. Il y avait la fille dont j'avais piqué la bicyclette et le garçon de mon immeuble, celui avec qui j'avais l'habitude de jouer. En gros, je ne les reconnaissais pas. En gros, je n'entendais que le vacarme qu'ils faisaient. Tout le monde sur le pont, scandaient-ils sur un ton monocorde. Tout le monde sur le pont pour jeter la morte à la mer, comme à bord des bateaux. Agglutinés autour de moi, près, plus près, se rapprochant. Tout le monde, chantaient-ils, pépiement sinistre. Tout le monde sur le pont pour jeter la morte à la mer. Ils m'ont agrippée à mille endroits, partout où ils ont pu poser leurs mains sur moi, m'ont soulevée. J'ai crié pour rien. Il n'y avait personne. Rolly et le reste de la bande étaient à l'autre bout de la ville. Dans mon sac, j'avais des pétards. Une bombe de peinture. Une boîte remplie de joints et un couteau. Tout le nécessaire pour une partie de plaisir.

Tout le monde sur le pont, chantaient-ils à mi-voix. Tout le monde.

Ils m'emmenaient quelque part. Je me suis débattue, j'ai menacé, déballé tous les gros mots de mon répertoire. Des mains ont noué un bandeau sur mes yeux, m'ont hissée haut, des mains m'ont ligoté les chevilles pour m'empêcher de ruer, puis les poignets et la taille, tout le monde sur le pont pour les obsèques de la morte, tout le monde sur le pont.

L'odeur de la terre, de la mousse, des pousses vertes. Le ruissellement d'un petit cours d'eau. Une barrière s'est ouverte, des pieds martelaient le sol, tout le monde sur le pont, scandaient-ils. Tout le monde.

Sous moi le tremblement d'une terrasse bancale et, trempée soudain, lourde, j'ai coulé jusqu'au fond. Des poids me retenaient dans le noir, j'étais sans yeux.

Une fois, en tirant sur ma cigarette, j'ai demandé à Thom, couchée sur le lit à moitié nue, si elle avait l'impression, vous savez, qu'elle y était peut-être pour quelque chose.

Elle s'est appuyée sur le coude et m'a regardée cracher la fumée.

— Dans quoi? a-t-elle demandé.

— Jesse.

— Qu'est-ce que tu veux dire?

— La mort de Jesse.

Elle m'a dévisagée, puis elle a détourné les yeux. Les a baissés plutôt.

— Je pense qu'on se sent tous comme ça, des fois. Quand quelqu'un meurt. Tu sais? Je sais que tu te sens toujours coupable de tout, que tu te dis que c'est peut-être ta faute, mais, mon chou, c'est faux. C'est pas ta faute.

Elle a pris une cigarette dans le paquet que nous avions chipé à une fille et l'a allumée avec la mienne. Elle a inspiré.

— Tu le sais, hein? Que c'est pas ta faute?

Je l'ai regardée, sobre comme une pierre.

— Ouais, je sais.

J'ai soufflé de la fumée.

— Mais si ça l'était?

Je suis allongée au fond de l'océan sans respirer, nue, immobile. Des poissons passent sur moi, leurs ouïes fabuleuses frôlent ma peau. C'est encore l'après-midi, la lumière est vive, crue, éclat blanc adossé au creux des vagues. Je ferme les yeux.

À force de me débattre j'ai réussi à arracher le bandeau, à lever les yeux. L'eau gauchissait leurs trognes hideuses. Ils riaient en montrant du doigt la vagabonde en train de se noyer. Ils étaient de plus en plus nombreux, à croire qu'il y en avait un nid quelque part, et ils riaient, me montraient et m'injuriaient. En dépit des poids qui retenaient mes membres sous l'eau, je leur ai fait un doigt d'honneur et j'ai fermé les paupières. Dans l'eau, les sons voyagent lentement. Je les entendais à peine. Les yeux clos, je les ai vus disparaître comme par magie. Tout d'un coup, c'était comme s'ils n'avaient jamais existé.

Je ne peux pas aller plus loin. Je ne peux pas me rapprocher davantage de vous.

Tout s'arrête sauf mon cœur et je le regrette presque. J'aimerais qu'il s'arrête ne serait-ce qu'une seconde, le temps d'oublier les derniers mots qu'elle a prononcés.

Elle a été la première, la première pour moi, et je ne m'en souviens même pas. Tu parles d'une façon d'honorer les morts.

Là, au fond de la piscine d'un taré quelconque, j'ai souri, là où j'étais hors d'atteinte et où d'ailleurs personne ne cherchait à m'atteindre, à l'instant même où je perdais connaissance, ma gorge glissait, mes lèvres s'entrouvraient, mortelle, morte. C'est maman qui va être contente, me suis-je dit. Après ça, l'heure du bain sera une foutue sinécure.

Je suis faite d'eau et l'eau s'efforce de me pénétrer, de me prendre, de me couler, de me purifier avant de me rendre à la surface, sur une autre rive.

Et là, il y a une hiérarchie, une rangée longue et grise : des noyés, des brisés, des ensanglantés qui tous me tendent la main. Ont-ils une offrande à me faire ou, hypothèse beaucoup plus vraisemblable mais qui serre mon cœur d'effroi, me demandent-ils de leur rendre quelque chose ?

Sous l'eau, tout le monde s'en fout, c'est terminé, fini, f-i fi n-i ni et tant pis si je pleure, si j'abreuve l'eau salée de mon humble petite marée à moi.
Sous l'eau, je ne suis presque plus rien.
Sous l'eau, je suis pure.

J'ai fermé les yeux.

J'ai quitté le parking de la petite église de merde au bord de la route, je suis passée devant le petit centre commercial et son cinéma à un seul écran, la laverie automatique, la cour d'école, et je suis allée au bord de l'eau. J'ai vu les bateaux aller et venir, des gens chevaucher la marée dans des coquilles de fibre de verre, boire au beau milieu de la journée parce que c'était un jour de congé, parce que c'était beau, parce qu'ils en avaient envie. Parce que c'était amusant.

Sacrée journée pour des funérailles.

Je ne l'ai même pas vu. Depuis longtemps. Franchement, je ne sais pas où est Henry.

Je veux rester couchée ici à jamais. Je veux appuyer sur la touche pause. Je veux arrêter, juste pendant une minute, jusqu'à ce que tout devienne sensé. Jusqu'à ce que tout ait du sens ! Et merde. Je me mets à rire, remonte à la surface. M'esclaffe, en proie à une hilarité galopante. Je fais surface et il y a là un garçon qui pagaie à califourchon sur un boogie-board. Pendant un moment il me regarde d'un air idiot, puis il me demande :

— Il y a quelque chose de drôle au fond, mam'selle ?

— Il y a quelque chose de drôle partout, petit, lui dis-je.

Et je plonge de nouveau, nage fort et vite jusqu'à ce que mes poumons soient sur le point d'éclater.

Dans une ville où il n'y a qu'un bar, le choix est forcément limité. Je suis entrée, c'était sombre, froid et humide, décoré de faux bois, de néons à l'effigie de marques de bière, de cornes de bœufs. Deux ou trois vieux types. Une mère jouait au bridge avec la barmaid tandis que, dans un coin, son enfant construisait un fort avec des caisses de bière.

— Qu'est-ce que je te sers, ma jolie ? a demandé la barmaid en levant les yeux de ses cartes et en me gratifiant d'un sourire limpide.

Dans une ville où il n'y a qu'un bar, le choix est forcément limité. Derrière le comptoir, j'ai vu trois bouteilles : gin, vodka et whisky bon marché. Deux robinets pour la bière pression, l'un recouvert d'une chaussette déguisée en poupée aux yeux en forme de X, sa langue en feutre rouge pendante, morte.

— Juste une bière, ai-je répondu. Et puis, combien pour les trois bouteilles ?

C'est la chair de poule qui m'a réveillée, je suppose. Malgré le soleil, j'avais la peau et les os gelés. Les gamins étaient partis, en quête d'un autre vagabond à maltraiter. Il y avait des trophées partout autour de moi : le football, le hockey, le jeu bête auquel des filles jouent avec un anneau en caoutchouc. Le bowling, même. C'étaient eux qui m'avaient retenue au fond de l'eau. Les bouts de ficelle qui me liaient à eux avaient tous été coupés, sauf un. J'ai tiré l'objet vers moi.

Je ne sais même pas comment il m'a trouvée.

Je n'ai jamais su qui m'avait sortie de la piscine, m'avait hissée sur le bord, m'avait forcée à respirer.

De retour sur le rivage, j'aspire à fond l'air léger et tiède, je m'allonge sur le sable chaud, je sens l'eau s'évaporer sur ma peau. Je m'allonge sous les vagues basses, le soleil est chaud, plus chaud, brûlant, je m'observe allongée là, je me demande pendant combien de temps je vais encore tenir le coup.

Je suppose que je devrais dire merci, non?

Je les ai alignées sur le comptoir.

Je n'ai pas baisé avec lui.

Je brûle, je brûle.

Je bois de gauche à droite, comme on lit.

Ce qui ne veut pas dire qu'il ne m'a pas baisée, lui.

Et l'eau me brûle, m'incendie.

Intermède avec la tête

J'étais perchée comme je l'étais toujours à l'époque, comme si j'étais perpétuellement occupée à jouer à notre jeu favori, celui où il est interdit de toucher par terre, pendant des journées parfois, et le sol ressemble à une gueule d'alligator aplatie, étalée et édentée, plus plate qu'un animal écrabouillé par une voiture, mais vous n'avez malgré tout absolument pas envie d'y toucher. J'étais donc perchée, on l'aura compris, sur la troisième marche d'un escalier de secours en acier noir fixé au flanc d'un immeuble aux vitres fumées, du genre de ceux qui ressemblent à une maquette d'architecte, mais gros et quand même affreux.

Je m'envoyais une bouteille de ces infects cocktails prémélangés qu'on vend moins cher que l'alcool ordinaire et en format plus grand, mais j'essayais de boire plus vite qu'à l'accoutumée non seulement parce que j'éprouvais le besoin d'une soirée de faux oubli induit par la bibine, même si c'était indubitablement le cas, mais aussi, purement et simplement, parce que j'avais laissé échapper la bouteille qui, fêlée, fuyait de partout.

— Ramone, ai-je dit.

Car il m'accompagnait, il va sans dire, vu qu'il vivait dans ma poche en prévision d'occasions comme celle-là, sans compter le soutien moral invisible dont à l'époque j'avais besoin presque tous les jours et parfois bien plus souvent.

Alors.

— Il ne voulait pas me faire de mal, tu sais que je t'aime bien, Cassy, il a dit, en fait, je t'aime peut-être un peu trop, mais, tu sais, tu me distrais et les choses risquent de devenir trop sérieuses entre nous et je finirais par te faire du mal et c'est ce que je veux éviter par-dessus tout, Cassy, alors. Mais comment je saurai que tu ressens quelque chose pour moi? lui ai-je demandé.

J'ai éclaté de rire.

Ramone m'a regardée.

— Non. Ce qu'il y a, c'est qu'il n'a rien compris, il a cru que j'étais sérieuse, et, bon, c'est peut-être juste drôle pour moi comme plaisanterie, je sais pas, c'est drôle, merde, mais lui il en a fait toute une histoire. Et puis je me suis dit, tu sais, qu'il se trompait peut-être sur toute la ligne et que c'est moi qui allais lui faire du mal. Là, maintenant, tout de suite. Avec une brique.

Je me suis tue, j'ai ri et j'ai allumé une cigarette.

Ramone m'a regardée.

— Qu'est-ce que tu veux dire par là? ai-je demandé en avalant une gorgée particulièrement longue de tord-boyaux.

Il m'a regardée.

— Non, non, ne m'en parle pas, je suis au courant. Tu sais quoi, Ramone ? Ta théorie, là, je pense que c'est de la merde.

Pause.

— Parce que, à la base de l'humour, il n'y a pas forcément de la colère ni rien comme ça, voyons, il y a juste trop de choses drôles dans ce monde de crétins pour qu'on s'imagine ne serait-ce qu'une minute qu'elles ont toutes la colère comme point de départ. Voyons.

Pause.

Pause.

Pause.

— J'y pense, donne-moi une seconde, mon vieux.

Pause.

Pause.

— Non, désolée, je crois toujours que t'as tort.

Pause.

— Je sais que ça fait rien. Je sais aussi que j'ai tort la plupart du temps. Quand je pense pas, glou glou glou, que c'est toi qui te trompes, comme maintenant !

J'ai ri et Ramone a ri, même si j'ai ri plus fort que lui et que mon rire a ricoché sur les murs de verre fumé comme la lumière l'aurait fait s'il y en avait eu, ce qui n'était pas le cas. Mais s'il y en avait eu, je l'aurais presque vue disparaître.

Nous avons construit un théâtre dans la boîte du nouveau grille-pain acheté par maman. Nous avons peint des arbres et des feuilles à l'extérieur, des couches de couleur vive si épaisses qu'elles ont craqué en séchant. Nous avons laissé l'intérieur nu, nous avons plutôt confectionné les décors à l'aide de menus objets : des papiers de couleur, des paravents faits de boîtes de mouchoirs et des photos découpées dans des magazines.

Pony tenait à ce que nous en soyons les vedettes, mais j'ai plaidé en faveur de soldats, de princesses, d'astronautes et de scientifiques. Elle m'a regardée, l'air de dire : nous sommes déjà tout ça, andouille.

Je m'éloigne de la plage, je marche à reculons le long de la route, le pouce levé.

Nous avons fini par nous dessiner.

Ma Pony avait de longues longues jambes. Elle portait une robe rouge, des mètres et des mètres de jupe d'où dépassaient deux petits pieds. Elle avait les cheveux bruns, brun crayon de cire, ce qui ne correspondait pas exactement au châtain de ses vrais cheveux, mais je les avais faits bouclés parce qu'elle avait toujours voulu avoir les cheveux bouclés. Elle tenait un bâton dans une main et, sur l'autre bras, elle avait des bracelets jusqu'au coude.

Dans le portrait de moi fait par Pony, j'étais plus ronde, plus courte, j'avais une grosse tête et des cils fournis extralongs. La fille du portrait avait les cheveux du même blond changeant que les miens, et ils lui tombaient sur les yeux. Elle portait une robe bleue dont l'ourlet s'arrêtait au-dessus des genoux, sur lesquels il y avait des croûtes rouges. Elle avait les mains sales, comme si elle avait creusé la terre, ses bras potelés étaient posés sur ses hanches, et elle arborait un sourire édenté de petite mal élevée.

DEUXIÈME PARTIE

Un album de photos à la couverture en nylon bleu azur moche comme tout, sur laquelle un arc-en-ciel décoloré traverse un banc de nuages duveteux. Une reliure spiralée. Des pages collantes, recouvertes d'une pellicule transparente.

À la première, on voit un bout de papier à dessin. Dessus est écrit en lettres moulées enfantines : *Am stram gram Pic et pic et colégram Bourre et bourre et ratatam Am stram gram pic dam.*

Sur la deuxième, un autre bout de papier, rose, celui-là. Dessus, le mot *Indices*. Dans le coin inférieur droit, au crayon à moitié effacé, figure une inscription en lettres cursives, vestige de la vie antérieure de l'album : *Premier anniversaire de Cassy.*

Un dessin au crayon occupe la troisième. Le papier est si grand qu'on a dû le plier pour le faire glisser sous la feuille transparente. Un trait vert au bas de la page, une fillette en robe bleue, ses orteils pointés vers le sol, sur lequel elle ne repose pas vraiment. Le pli coupe son bras gauche tendu.

La quatrième page, qui faisait partie de l'album d'origine, n'a pas été touchée. Au centre, il y a la photo de deux fillettes, l'une blonde, maigre et débraillée, légèrement plus grande que l'autre, plus ronde et foncée. Même si cette dernière conserve ses rondeurs de bébé, elle semble plus sûre d'elle, élégante, pure. La fille plus blonde et plus vieille a perdu ses incisives. Elle a des taches sombres sur les genoux, dont l'un est copieusement croûté, de la boue dans les cheveux, les vêtements trempés de sueur et tachés sur ses membres fluets. Un de ses bras maigres est passé autour des épaules de la fillette à la peau foncée, son autre main posée sur sa hanche, comme si elle exhibait fièrement un trophée. Elles sourient toutes deux pour l'objectif en dépit de leurs coupes de cheveux maison d'abruties.

À la page suivante, il y a une feuille d'imprimante, une imprimante matricielle à l'ancienne, des bandelettes perforées de part et d'autre. C'est une liste, dont la partie visible se lit comme suit :

Frais supplémentaires pour l'embaumement,
y compris l'autopsie, les dons d'organes, etc. :
200

Autres préparatifs :
Réfrigération ou conservation
d'un corps embaumé :
85

Forfaits retenus :

Crémation:

2000

Le PAIEMENT TOTAL doit nous parvenir
avant la crémation

Crémation dans réceptacle de substitution A1
$95 + 2000 = 2095$

Remarque: Les droits de crémation, les honoraires
du médecin légiste et autres frais ne sont pas compris.

Votre douleur, c'est aussi la nôtre[MD]

À peine visible au bas de la page, juste avant l'autre pli, la partie supérieure de deux signatures. Des boucles et des courbes.

À la page suivante, une autre feuille pliée, cornée et jaunie par l'âge, aux plis crasseux, étroit rectangle sur lequel seuls trois mots en caractères gras sont encore visibles : *Rapport d'autopsie.*

La septième page est vierge, exception faite d'une étoile dorée et d'une tache de crayon à moitié effacée.

À la huitième page, on voit la photo d'une jeune femme aux cheveux blonds bouclés, les bras écartés, ses longues longues manches gonflées par le vent, un gros pendentif en argent jetant des reflets mauves sous le soleil, une pierre quelconque sertie au milieu. Elle sourit sans montrer les dents, c'est un petit sourire serein, un petit moment de bonheur parfait. Les bords de la photo sont rognés, usés par les voyages et les déplacements.

À la neuvième, il y a une simple inscription, *Cassy et Pony*, écrite sur du papier à aquarelle coquille d'œuf à l'aide d'une encre qui a viré au brun brûlé.

À la dixième page, un bracelet d'hôpital en plastique. On y a gravé le nom *Cassy Peerson*. Sur une petite carte carrée, des fleurs jaunes et roses entourent un cœur de dentelle.

La onzième page est vierge.

À la douzième page, on voit, sous la feuille transparente, un petit paquet de pellicule plastique et de ruban gommé rouge. Au centre, une petite bosse. Écrit en lettres cursives, d'une main de débutant, le mot *Papa.*

À la treizième page, des morceaux de tissus sous le plastique transparent : un bout de sweat-shirt rose, de la toile brodée, du nylon rouge, un fragment de caoutchouc bleu, une étroite bande de velours bleu marine à la bordure dorée.

Il y a à la quatorzième page, au centre, en face d'autres fragments, un bout de tissu en polyester et coton bleu pâle. On voit aussi le bord d'un nuage brillant et la lettre S, couleur d'or, tachée de sang et déchirée.

Un télégramme venu de New Delhi couvre au moins les deux tiers de la quinzième page. C'est à peu près tout ce qu'on peut en tirer, à l'exception des mots *DEUXIÈME STOP NOUVELLES DE LA NAISSANCE STOP* et une tête ronde de bébé dessinée à la main, au-dessus du télégramme, signé par une certaine Cassy P.

À la page suivante, on voit une feuille de papier pelure, comme on en utilise pour le courrier outre-mer, sur laquelle se trouvent quelques mots à peine lisibles, écrits à l'oblique d'une écriture régulière.

À la dix-septième page, un bout de papier plié et usé, résumé de l'état de santé mentale d'une certaine Cassy Peerson.

À la dix-huitième page, une coupure de journal jaunie, sur laquelle apparaît la photo d'une ferme et un gros titre : *Les enquêteurs interrogent une enfant d'ici.* Dans le coin inférieur droit, la photo réduite d'une tête d'enfant, bien qu'il soit difficile d'en être sûr puisque, pour la plus grande partie, elle disparaît sous le pli, les boucles foncées surgissant d'un endroit invisible.

À la dernière page, il y a une mèche de cheveux blonds retroussée aux deux bouts, comme si on l'avait attaquée à coups de couteau.

À l'intérieur de la couverture, le contour d'un autocollant représentant une tête de chat, une inscription au marqueur noir et de vieux bouts de ruban gommé séchés qui, autrefois, retenaient vraisemblablement une photo.

Le dos de l'album est identique à la couverture : fond bleu pâle, arc-en-ciel, nuage.

TROISIÈME PARTIE

Et le bruit s'intensifie, laisse dans mes oreilles un bourdonnement si fort que je ne l'entends plus et le sol remue mon sang qu'il transforme en écume

et je comprends que je ne peux rien faire

dans ces tunnels qui vont je ne sais où, je ne peux que marcher, et c'est ce que je fais, les oreilles détraquées à cause du bruit, et mon sang écume, je le vois bouillonner sous ma peau, les parois sont poisseuses et je m'enfonce de plus en plus profondément sous terre et les parois sont poisseuses à cause du bruit qui émane d'elles et du sol et du trou où je la vois

le visage tourné vers moi depuis les profondeurs de la terre tout en bas où il doit faire encore plus chaud au centre en fusion du monde et elle est toute seule là en bas, impossible pour moi de l'atteindre là où elle bouge toute seule comme si on la chevauchait et elle pousse un hurlement, peut-être qu'elle jouit, peut-être qu'elle a mal, elle bouge je ne vois plus son visage, je me retourne et il y a des gens partout, des visages que je distingue, je ne les connais pas mais ils me connaissent, eux, ils tendent leurs mains vers moi, lentement ils bougent, des exhalaisons humides émanent de leurs corps, je vais quelque part, je marche dans cette direction et leurs mains se tendent, m'entraînent là où il fait chaud à cause de leurs respirations

et les

parois sont humides

et les bulles sous ma peau

brûlent

je touche mon bras à l'endroit où sont les bulles, ma peau explose en une multitude de gouttelettes de sang rouge c'est l'aspect du sang en apesanteur, mais il retombe quand même, soumis à la force de la gravité et roule
au loin

et les parois sont poisseuses

Réveillée en sursaut, je tire Terry du sommeil. Il me demande hé ça va et je hoche la tête, même si c'est faux. J'ai l'impression d'avoir pleuré, d'être une ruine, vide, et il sait que je mens et il fait hé de nouveau et m'attire contre lui et là je pleure et il marmonne quelques mots dans mes cheveux et je ne sais pas pourquoi je pleure, aucune idée, et je serre mes poings dans mes yeux et à voix basse je me traite de stupide et j'essaie de me rendormir et même si c'est impossible, il fait malgré tout bon ici dans la chaleur de nos peaux. Mes yeux s'ouvrent sur sa poitrine et son souffle, il s'est rendormi et je lui en suis reconnaissante, et le soleil n'est pas encore levé, la lumière commence à peine à émerger de l'envers du monde où les monstres s'ébattent.

Je ferme les yeux, le sens respirer.

Le matin, je ne sais jamais où j'en suis.

Je passe par-dessus Terry en essayant de ne pas le réveiller, pousse le siège avant, sors au grand jour, la lumière voguant sur l'eau là-bas, et tout redevient neuf.

Et rien n'arrive jamais ici, et c'est plutôt bien.

Je descends sur la plage où je patauge dans l'eau du bout des orteils, je respire, tout simplement, je ne pense pas à grand-chose, je secoue la tête à cause du sommeil qui y reste accroché, je reviens à la voiture prendre des chaussures, de vieilles espadrilles tachées de je ne sais quoi et je vais au resto du coin, ébouriffée, je passe devant de vieux types qui se déplient sur le trottoir où ils ont tué la nuit, cocons se déployant à l'ombre des bennes à ordures, les vieux types se dépouillent de leurs vieilles couches de peau à la manière de serpents, couches grises demeurant intouchées toute la journée, qui voudrait de ces guenilles de toute façon, et deux ou trois d'entre eux me saluent au passage. Je m'approche, je dis bonjour et les récits de la nuit sortent du sac, par exemple celui de la jeune fille qui a vomi dans la ruelle et qu'ils ont transportée sur le trottoir et pour qui ils ont essayé de héler un taxi, mais alors son petit ami, une armoire à glace, est arrivé en trombe et leur a crié de foutre le camp, je vais vous tuer si vous la touchez, et ils ont tenté de lui expliquer mais c'était Demi-Tom qui ne parle pas vraiment et qui de toute façon n'entendait pas ce que disait l'armoire à glace vu qu'il est sourd et No Rico qui ne parle qu'espagnol et le petit ami a lancé son poing à la figure du vieux Demi-Tom qui a vite décampé et ils sont partis avant que les choses se gâtent. C'est comme la fois où Ringo a été battu si sauvagement qu'il a mis trois jours à agoniser au ralenti, à se décomposer dans l'hôpital en décomposition, et encore là on n'a pas su qui il était jusqu'au jour où une fille de la mission l'a identifié, et encore là personne ne connaissait son vrai nom, et ce qu'on a fait de son corps et comment on l'a enterré personne ne le sait. À l'hôpital, on a seulement dit qu'on s'en occuperait. Les vieux types m'accompagnent, je prends un thé géant à emporter et je leur donne un peu d'argent pour manger et ils s'en serviront surtout pour boire, j'en sais un bout sur la question, mais pour l'instant ils sont gentiment assis, *gracias,* dit No Rico, et Demi-Tom se contente de sourire et ils rient en attendant leurs sandwichs aux œufs et au fromage et en trinquant au jour qui se lève en buvant à même une bouteille de vodka bon marché qu'ils dissimulent sous la table et ils rient quand la serveuse roule les yeux mais ils savent qu'elle ne les mettra à la porte que s'ils font du grabuge, ce qu'ils ne feront plus, du moins pas aujourd'hui, vu qu'ils sont heureux, et ils veulent que je m'assoie un moment avec eux, mais je leur souris et je leur dis une autre fois, *mañana,* dis-je à No Rico, demain, expliquent mes mains à Demi-Tom, et ils semblent satisfaits alors je m'en vais.

Je bois le whisky de la flasque que je conserve dans le vide-poche, puis trois doigts dans un thermos à carreaux et du thé jusqu'au bord, Terry dort toujours, je sors mon petit cahier et je m'assois sur le toit, où des souvenirs de la veille empiètent sur le jour, perçant de leurs aiguilles cette heure maigre. J'écris :

Hier soir, Freakboy était là, et nous avons tous cru qu'il avait de l'argent, ce qui était peut-être le cas, mais quand je suis arrivée il a réclamé la sirène et Eddy lui a dit d'aller se faire foutre et à ma place lui a envoyé une Sylvie (Gladys, nommée d'après sa grand-mère, étudie le droit pendant la journée), et évidemment Freakboy n'a pas voulu d'elle et on a fini par le foutre à la porte quand il a dit qu'il ne partirait qu'après m'avoir eue à lui tout seul, ce qui, je suis au regret de le dire, n'arrivera que la semaine des quatre jeudis, et de toute façon Terry, le gars vraiment baraqué qui vient de commencer, a dit à Freakboy où il pouvait se la mettre et Freakboy a dit à Terry où il pouvait se la mettre, ce qui était une mauvaise idée, vu que Terry l'a agrippé par la peau du cou et l'a jeté sur le trottoir et nous savons tous qu'il pourra revenir un autre soir, ils sont toujours les bienvenus à condition de ne pas revenir le soir où ils ont été foutus à la porte, je ne l'ai appris que plus tard de la bouche d'Eddy, au moment où

le garçon récurait le sol et effaçait les traces de cul sur les
miroirs, tandis que les Sylvie se rhabillaient et attendaient
l'arrivée de leurs petits amis en bavardant entre elles de
toutes sortes de sujets de bavardage, et Terry remballait
ses affaires en écoutant un vieux blues triste et Eddy riait
en nous racontant à moi et à Owen toute l'histoire de ce
qui s'était passé la veille et c'était tellement tordant qu'il
l'a racontée deux fois, l'histoire, pendant que moi et
Owen finissions un plateau rempli de shooters en atten-
dant que Terry ait terminé.
Et de toute façon Owen a déclaré qu'il avait vu assez de
chattes pour la soirée et pourrait-on aller quelque part où
il y a des queues alors nous sommes allés à la Gaffe nous
offrir quelques shooters de plus et Terry s'est moqué de
moi et d'Owen quand nous sommes montés sur les haut-
parleurs pour danser. Il a ri, bu à notre santé et com-
mandé une autre tournée.

Je mets le stylo dans le cahier pour marquer la page. Celui-ci a une couverture rigide en vinyle rouge sur laquelle est collée une poupée de la fête mexicaine des morts, un mariachi souriant, la guitare collée sur l'entrejambe inexistant, du moins on la croit collée, mais en réalité on a fait fondre le vinyle, qui est tout froncé autour de ses petits os comme une bouche prête pour un baiser.

Maman arpentait le couloir d'un air détaché après le départ du type avec qui elle venait d'avoir une terrible bagarre dont j'avais été témoin en partie. Je rentrais à la maison au terme d'une soirée plutôt riche en péripéties, car nous avions trouvé des pétards dans un garage dont la porte était restée ouverte et deux ou trois vieilles boîtes de peinture. Ensemble, ils avaient produit de fort jolies éclaboussures de couleur sur le quartier voisin, contre lequel nous menions une guerre non déclarée. Je rentrais donc plutôt de bonne humeur et je suis tombée sur ce type qui s'appelait Garry, je crois, mais j'ai parfois du mal à distinguer les trous du cul entre eux, il avait acculé maman au mur et lui cognait la tête dessus et elle faisait un bruit sourd, un bruit creux, comme si non seulement le mur était vide mais aussi tout le reste. La tête de maman, son cœur, l'homme, moi. Pendant une seconde, il n'y a eu que ce bruit venu de quelque part, venu de nulle part, et moi observant la scène comme si je n'étais pas là, comme si j'étais ailleurs, un ailleurs d'où je n'aurais rien pu faire, et pourtant j'ai fait quelque chose, j'ai visé les yeux, ses yeux à lui, et ils saignaient sur sa poitrine, il criait et me traitait de salope, un de ces jours je vais te donner ce que tu mérites, espèce d'allumeuse de merde, a-t-il dit tandis que j'essayais de le repousser sans le toucher, lui, penché sur la porte pour me barrer la route, j'essayais de ne pas le toucher, de ne pas sentir les relents de gin dans son haleine ni son visage rugueux sur ma joue quand il a chuchoté à mon oreille et soufflé sur moi son souffle trop chaud, celui qui m'a empêchée de rentrer pendant des jours et des jours et j'ai crié à maman de s'enfuir, de descendre chez la voisine, d'aller chercher le concierge, n'importe quoi. Et évidemment il y a eu d'autres cris et elle a refusé de bouger, puis il m'a traitée de chienne et m'a frappée en plein visage, rien qu'une brûlure transmise de lui à moi, rien qu'une douleur incandescente, il m'a crié de me mêler de mes affaires et a fait le geste de me frapper encore mais je me suis esquivée et il a eu l'air idiot et il s'est mis encore plus en colère, maman disait ça va, Cassy, ça va, tu comprends les adultes se disputent parfois, alors je leur ai fait un doigt d'honneur à tous les deux et je suis sortie. Je suis allée trouver un policier désœuvré au coin de la rue. Je l'ai emmené chez moi. Il en a appelé un autre. Puis ils sont partis tous les deux avec Garry. Il avait, paraît-il, un casier long comme ça. On ne l'a plus revu et je ne sais pas s'il a été en prison ou ailleurs. Il n'était plus dans le décor et, pour une raison que j'ignore, maman avait le cœur brisé. Alors j'ai traîné avec Rolly et la bande jusque tard dans la nuit, et j'ai cessé d'aller à la maison quand maman y était parce que ma maison était pourrie. Ma maison était froide et vide et morte. Quand nous nous croisions dans le couloir, le matin, maman et moi, elle se maquillant pour le travail, moi excavant la crasse et la graisse accumulées sous mes ongles, il y avait une étincelle entre nous : elle me lançait un regard dur et chargé d'électricité et je la regardais de même. Dans ces regards, il y avait ce que je pourrais appeler de la haine, mais c'était pire que ça. De l'amour déçu.

Et ces jours-là, quand elle me disait que tout était ma faute, je la croyais parfois, vous comprenez ? C'est parfois ce qui arrive quand on est petit.

La portière avant de ma petite voiture s'ouvre et la tête blond roux de Terry émerge en ballottant et il me sourit et tend la main pour me toucher, bonjour, ça va, tu te sens mieux? Je ris et ouais, dis-je, c'était juste un mauvais rêve, excuse-moi de t'avoir réveillé, non, non, répond-il, pas de problème. Je lui propose une gorgée de thé, non merci, dit-il, j'ai du travail, mais alors il incline la tête et il hausse les épaules et dit pourquoi pas et il en boit une longue gorgée, merci. Il faut qu'il y aille mais on se revoit plus tard pour boire un coup, ouais, et il me sourit d'une façon qui me fait peur et me rend heureuse parce que je sais qu'il voit en moi mieux que n'importe qui, moi y comprise, et on n'échappe pas à un regard comme celui-là, et c'est bon, mais en même temps ça me fait peur parfois et je ne sais pas quoi en faire. J'en profite en me disant que c'est bon, merde, et je le laisse me rendre heureuse, puis je le regarde à mon tour de la même manière parce que moi aussi, et nous nous embrassons et il embrasse mes doigts et part travailler.

Il vient à peine de s'installer, a allumé la petite lumière dans la cabine du D.J. et s'est tout de suite mis au travail. Il était arrivé muni d'une valise géante en cuir rouge brûlé, aux bords râpés et aux fermoirs bossés. Eddy, à l'arrière, gâchait la mise en place de la barmaid, cochonnait les livres comptables. Puis, interrompant son bricolage, il a levé les yeux, aperçu Terry.

— Ah! te voilà! s'est écrié Eddy. Montre-nous ce que tu as apporté.

Il s'est approché en se dandinant et a hissé son gros cul sur la marche conduisant à la cabine. En voyant ce que fabriquait Terry, il a éclaté de rire.

— Des disques? Sans blague?

Dans la pénombre perpétuelle, il a examiné Terry. Derrière les aquariums vides, de drôles de lumières tremblotantes luisaient faiblement, c'était l'après-midi, il n'y avait personne, que moi et Owen qui partagions un plateau rempli de shooters en bavardant.

— T'as quel âge, au juste? a demandé Eddy en gloussant, une main posée sur l'épaule de Terry. Écoute, p'tit gars. De nos jours, combien de chansons parmi les top 40 sortent sur disque? La plupart des filles vont t'apporter des CD. Ça ressemble à des disques, tu vois, en plus petit. Ça brille. Je suis sûr que t'en as déjà vu. La plupart des filles viennent à peine d'être sevrées par leur mère, tu comprends? Elles sont trop jeunes pour se souvenir de tes machins.

Il a agité la main sur la boîte de disques, comme s'il était magicien et qu'il suffirait d'une formule genre abracadabra pour que paf! ils disparaissent.

Terry s'est contenté de sourire en vidant sa valise. Eddy est pesamment redescendu et s'est éloigné en ahanant pour communiquer la nouvelle à la barmaid (Annie, ex-travailleuse sociale) qui s'offrait un shooter en prévision de la soirée.

— Quand il m'aura entendu, il ne rira plus, a simplement dit Terry à l'intention de personne en particulier.

Owen a haussé les sourcils, puis il a hoché la tête.

— Hou ! Quel homme ! Celui-là, on l'adore !

J'ai souri au-dessus de mon shooter.

La Gaffe. Les battements de la basse, de la sueur, du noir et des lumières qui tournent sur elles-mêmes. Comme au cœur d'une créature disco géante. Le spectacle était terminé, la plupart des bars étaient fermés depuis un moment, le nôtre y compris, et des putes, robe élégante, talons hauts, faux cils, festoyaient. Des filles de chez nous, troupeau de choc entièrement féminin, étaient là, et Owen, au centre de tout, jouait les chefs d'orchestre. Terry s'est approché de moi, un whisky géant dans une main, une bière dans l'autre. Il m'a tendu le whisky.

— Un verre ? a-t-il crié dans les battements de la basse.

J'ai souri, soulevé le mien et hurlé :

— Oui, j'en ai un.

— Non, je veux dire…

Il a souri, un peu désemparé. Il s'est approché, afin que nous puissions baisser le ton. Il fallait malgré tout crier.

— C'est pour toi.

Il a posé le verre sur la table minuscule, à côté de la bière et du shooter que j'avais déjà.

— Ah bon ? ai-je fait en rigolant. Merci. T'étais pas obligé.

— Non… a-t-il répondu en souriant.

Nos regards se sont croisés, et j'ai aperçu sur son

visage une petite fossette qui, jusque-là, m'avait échappé.

— … mais j'en avais envie.

Et l'aube s'est levée, et j'étais dans un lit. Un lit entouré de grandes fenêtres, où des rideaux blancs et propres filtraient les chauds rayons du soleil. Quelques étirements, histoire de chasser d'agréables courbatures. Je me suis levée et j'ai exploré les lieux. Des bruits venaient de la cuisine.

— 'jour, ai-je dit en entrant.

Terry a levé les yeux des assiettes.

— Non ! Non ! Retourne te coucher ! a-t-il lancé en riant.

Il a couru vers moi pour m'obliger à rebrousser chemin.

— Je n'ai pas encore terminé, ici.

— Je peux te donner un coup de main, au moins ? ai-je demandé, tandis qu'il me poussait vers la chambre.

Un grand sourire, celui d'un enfant impatient de faire l'essai d'un nouveau jouet.

— On verra plus tard. C'est censé être une surprise !

Il m'a soulevée, m'a lancée sur le lit et s'est éloigné au pas de course.

Et il est parti faire ce qu'il fait quand il est loin de moi.

Je finis le reste du thé et du whisky, je descends du toit et j'entre dans la voiture, où je prends la bouteille. Il y a des cochonneries partout ici, des poupées en plastique, des arbres, des trains, des avions qui s'envolent par la vitre, qui est un peu enfoncée du côté passager, des papiers, des lettres et des trucs que j'ai écrits, des pattes de mouche tracées au marqueur, des vêtements accrochés un peu partout, des couvertures sur la banquette arrière et ici, sur le tableau de bord, des lettres proprement empilées, des lettres de Henry que je croyais avoir rangées au plafond depuis belle lurette dans l'enchevêtrement de bandes élastiques bon marché que j'ai accrochées là et où je mets les trucs dont je n'ai pas besoin, des trucs que je préfère peut-être oublier, des trucs pour plus tard, des trucs que je n'ai pas envie de voir et il y a des lustres que je n'ai pas reçu de lettre de lui et je les contemple maintenant, les adresses écrites à la main avec soin, les petits caractères tremblés de toujours, l'adresse de retour de M. Henry Smoller, aucune ouverte, jamais, pas une seule. Je ne sais pas où mettre celles-ci, je ne sais pas d'où elles sont venues. Je les regarde bêtement.

Il m'a frappée du plat de la main.

— Espèce de petite salope, a-t-il craché.

Il a foncé sur moi en épongeant le sang qui pissait de sa coupure à la tête.

Et je ne sais pas où les mettre.

Maman assise avachie à la fenêtre faisait cliqueter ses ongles roses vernis sur son verre ou des gouttes de condensation tombaient lentement.

contemplait le bâton misérable qui voudrait passer pour un arbre et qui dans la ruelle où s'entassaient les poubelles n'avait jamais eu une seule feuille à cause de la maladie qui l'avait frappé des années auparavant et on l'avait abandonné là en attendant qu'il tombe

de lui-même, lui mort depuis des années, et maman regardait par la fenêtre où il n'y avait rien pour ne pas voir ce qu'il y avait à l'intérieur.

J'ai presque envie de les jeter mais je ne saurais pas où.

Je me suis glissée à côté de lui et il a agrippé ma chemise de nuit viens ici petite salope de merde et il s'est jeté sur moi, la serrure refusait de s'ouvrir

maman regardait au loin pour ne pas voir ça

et il a cogné ma tête sur le mur uniquement parce que j'ai osé lui dire non ce qu'on est censé faire quand on est une enfant de toute façon, uniquement parce que j'ai osé lui parler comme j'aimais le faire de la haine qu'il m'inspirait et on criait

la bouche de maman ligne paisible marquant les limites de mon moi, le seul horizon que j'aie jamais vu s'étirer sous mes yeux, là-bas, au loin, une aune à laquelle me mesurer peut-être, une ligne accrochée à quelque chose de gros et de stupide comme mon pouce, quelque chose de gros et de stupide comme le reste de ma personne

en train de crier.

Ont-ils enfin trouvé le moyen de détruire le poison?

— *Man!*

De Leppy cogne à la portière en balançant une bouteille dans son autre main, sa tête dodeline, Francis est avec lui. De Leppy tape son code secret puis s'éloigne avec Fran en direction du boardwalk et comme je ne peux pas rester ici avec ça je file de l'autre côté. Aussi bien faire quelque chose d'utile alors je passe devant la boutique de planches de surf aux fenêtres condamnées, devant laquelle les drapeaux flottent toujours. Seuls les gens d'ici la fréquentent et l'odeur des étés d'antan rôde quelque part à l'intérieur. Cette odeur d'enfants et de garçons n'est peut-être que dans ma tête mais elle est là quand même. Je passe devant le resto vingt-quatre heures, où il n'y a plus que le cuistot et la serveuse. Il a appuyé sa masse contre le mur, et le combiné a l'air d'un jouet dans sa main énorme, son tablier maculé de graisse est serré sur son gros ventre, et il passe sa main graisseuse dans ses cheveux d'un air découragé. La serveuse, elle, ne voit rien de tout ça, elle a le nez plongé dans un vieux livre abîmé par l'âge et lu plusieurs fois, ses pages jaunies ont gondolé après un séjour dans l'eau de la baignoire. Je poursuis, j'écris dans ma tête des histoires à propos de tout le monde, c'est parfois plus facile de cette façon, et le visage de l'homme cogne encore contre le mien. Je secoue la tête, traverse la rue, bifurque à droite en m'éloignant de l'eau et traverse de nouveau la rue et la boutique photos est au sous-sol de l'agence de voyages. Je passe devant les serveuses grandeur nature qui sourient et proposent le bonheur dans une assiette, sourient d'un air absent et de très très loin. Sur les murs, des plages aux couleurs plus vives que le technicolor, plus vives que celles des plages que j'aperçois d'ici. L'agente de voyages, une petite dame à la peau foncée, lève les yeux de ses papiers et m'adresse un sourire rempli de promesses. Je montre l'escalier qui descend au sous-sol et elle hausse les épaules et se remet à son travail, au passage je me rends compte que ce sont des mots embrouillés, de ceux dont on remet les lettres en ordre sans trop se creuser la tête. Je descends les marches recouvertes d'une vieille moquette brune toute moisie et j'aboutis dans une pièce basse où il y a un comptoir sommaire et, derrière, une porte.

Le type note mon nom, un faux, fronce un peu les sourcils quand je lui dis que je n'ai pas de numéro de téléphone, mais ne répond rien, se contente de me tendre un coupon, confirme que les photos seront prêtes dans une heure. Je reste sur le perron de la boutique pendant un moment, autour de moi le matin bat son plein, les gens vont et viennent, des gosses de riches dont la voiture, les vêtements, la coiffure et les autres accessoires valent bien un demi-million de dollars, des garçons pour les filles et des filles pour les garçons, ils passent, l'air malheureux sous le bronzage qui de toute façon ne fait que hâter leur mort.

Je traverse la rue en regardant des deux côtés comme une bonne petite fille. Un type sorti de nulle part fonce sur moi et vient tout près de me renverser et je me coupe la main en prenant appui contre un mur où des clous et des agrafes cultivés depuis des années prolifèrent joliment, il y a là des affiches pourries annonçant le spectacle de vieux groupes pourris pourrissant sous la marquise exiguë et rouillée regarde où tu vas salope daigne-t-il me crier pendant que je me lèche la main.

— Pas besoin de savoir le faire aussi bien que moi, a dit maman dans la lumière qu'ensablaient les vieilles fenêtres poussiéreuses.

De la poussière tombait des chevrons tout en haut dans le noir, où les chauves-souris endormies agitaient leurs ailes et dormaient dans la lumière immobile que découpaient en stries sales les fenêtres. Et les ailes poussiéreuses des chauves-souris et le grand espace endormi au-dessus de nos têtes et la poussière qui tombait. Il n'y avait que nous trois, personne d'autre à des kilomètres à la ronde, personne pendant des jours, et Pony s'était coupé la main sur une vieille batteuse rouillée envahie par les mauvaises herbes avant même notre arrivée, et elle n'avait ni pleuré ni saigné, maman avait fait claquer sa langue, cloc, cloc, cloc, comme ça. Maman promenait une aiguille dans la flamme d'une grosse chandelle jaune qui laissait des flaques de cire sur la surface rugueuse de la table, elle l'a tenue dans la flamme jusqu'à ce qu'elle soit noircie et moi j'avais à la main une bobine de fil. Maman a laissé Pony choisir la couleur, rouge a-t-elle répondu. Je tenais la bobine sur laquelle le fil était enroulé bien serré comme une peau et la couleur de la lumière laissait entendre que rien n'était jamais arrivé, que rien n'arriverait jamais, et elle a tendu la main vers le bout de fil que j'avais préparé.

Des aiguilles dans le bras d'un garçon dans un rêve que j'ai fait un jour, il tenait ses bras grands ouverts sous le ciel, sous le plafond car nous étions à l'intérieur, les aiguilles trouaient sa peau comme si elles étaient en lui et qu'elles remontaient, poussaient de l'intérieur, poussaient d'en dessous, gonflaient la peau et faisaient un bruit, poc! quand elles émergeaient toutes luisantes.

— Quel genre d'aiguilles? m'a-t-elle demandé

plus tard quand je lui en ai parlé, comme si ce détail avait de l'importance.

Au-dessus de nous, l'étagère où ils avaient mon trophée qui s'empoussiérait. C'est là que résonnaient les acclamations des clients au moindre but, tandis que j'apprenais à frapper la blanche.

— Il faut que tu apprennes à le faire mieux que moi.

Une aiguille troue la peau, troue la peau de l'intérieur poussant comme si elle avait toujours été là

                          tirant

réunissant les bords

un rasoir dans son bras
               et c'est
                       juste un peu de sang,
une égratignure,
rien du tout.

Dans le bar mes yeux s'éteignent un moment et je ne vois pas grand-chose. Au comptoir je demande une serviette en papier à la barmaid et elle se lève, jette un coup d'œil à ma main et va chercher une trousse de premiers soins et j'ai l'impression qu'elle a raté sa vocation d'infirmière scolaire, parce qu'elle y prend manifestement du plaisir, fait de petits bruits réprobateurs, tss, tss, tss, comme une pro. Merci, dis-je. Elle me regarde et secoue la tête, on ne sait jamais, dit-elle, j'ai connu un type qui s'est fait mordre la queue en baisant dans les bois par ici, il a eu une piqûre contre le tétanos et tout et tout, les docteurs étaient morts de rire, il n'est pas mort mais il a perdu une couille et elle est intarissable et je me dis qu'elle n'a peut-être pas beaucoup de monde à qui parler ici mais là elle parle de gens que je ne connais ni d'Ève ni d'Adam en les appelant par leur nom et elle poursuit : mais je pense qu'il vaut mieux que j'utilise leur nom dans la télésérie, je ne connais pas personnellement tous les acteurs après tout, même si j'ai déjà rencontré Ricardo, Evan Mitchell de son vrai nom, je l'ai vu au centre commercial une fois et il a dit que mes cheveux étaient très beaux alors je ne les ai plus changés, je ne les changerai probablement jamais, juste au cas où je le reverrais, tu comprends, je tiens à ce qu'il me reconnaisse. Je l'interromps et je commande une bière et un double whisky et elle me dit bois lentement, petite, ou prépare-toi à chercher un autre bar. Aïe.

À la fenêtre. La matinée file et rien ne ralentit dehors mais ici, à part Madame soap-opéras, là, c'est plutôt paisible.

De vieux types jouent au mah-jong et l'un d'eux lit un magazine, du genre qu'on achète dans la ruelle parce qu'il vient du côté chaud de la frontière et qu'on y voit des photos de têtes fendues et de culs éclatés et les têtes sur les corps n'ont pas de visage, que des seins.

L'horloge murale indique que *C'est l'heure d'une bonne bière!* ou neuf heures quarante-cinq. C'est tranquille ici, il n'y a que le cliquetis des tuiles sur la planche de jeu et la barmaid qui fait mousser du lait pour le deuxième café qu'elle s'offre depuis que je suis là et le contact de la chair contre la chair du match de boxe qui joue à la télé au volume baissé nichée au fond près de la porte des toilettes et...

Il est ici, je le vois dans les miroirs du mur où l'horloge est accrochée.

Je siffle mon whisky. Je me lève, je me tourne pour dire au revoir à la barmaid, j'essaie de bien voir ce fumier.

Alcohol doesn't thrill me at all...

Près du juke-box. Il arrondit les épaules en se palpant le sein gauche, il y a là quelque chose qu'il préfère cacher...

But I get a kick...

Je cligne des yeux.

La barmaid me salue de la main, sourit. Je lui adresse un geste de la tête, lui rends son salut, me retourne...

Yes I get a kick...

... sors par la porte sombre...

Out of yoooou...

Je reste plantée sur le trottoir pendant un moment sans savoir où aller.

Et un 4 x 4 klaxonnant s'avance, d'un noir rutilant qu'on dirait fabriqué à la main, comme le noyau d'une montagne si on pouvait en manger une comme on mange une pêche. La portière s'ouvre et une centaine de marmots en jaillissent, collants, hurlants, aux prises avec une pressante envie de pipi. La maman suit par la portière du passager, elle a l'air fatiguée, peut-être légèrement usée, même si elle conserve un peu du feu de l'adolescence, sa façon d'attacher ses cheveux a quelque chose de familier, de négligé et d'étudié en même temps, deux ou trois mèches foncées ravivant l'éclat de ses yeux bleus. Les enfants tourbillonnent autour de l'entrée de la salle de jeux vidéo, braillent, se bousculent, deux ou trois d'entre eux partent précipitamment à l'insu de tous sauf moi. La maman jette un coup d'œil empreint de lassitude aux vitres teintées du 4 x 4, hausse les épaules, fait entrer les enfants dans la salle, où les bips et le fracas auront au moins l'avantage d'atténuer leur babillage. La portière du conducteur s'ouvre lentement, livrant passage à un homme corpulent et puissant, un homme qui, à une autre époque, aurait sans doute été prospecteur ou bûcheron, un homme à l'air sale et usé comme une vieille paire de bottes, un homme à l'air déplacé au milieu des néons. Il allume une cigarette, s'appuie contre le nez imposant de son bolide et regarde dans le vide. Il a quelque chose de familier, lui aussi, quelque chose qui me rappelle d'autres portières de voiture, d'autres enfants qui sortent en pagaille, vont se pourrir l'esprit d'une autre manière. Il me regarde et je vois qu'il me voit, qu'il me reconnaît, lui aussi. Où? Où? Il fronce les sourcils, se penche un peu, secoue la tête. Il est directement en face de moi, de l'autre côté de la rue, et je vois sa bouche remuer, en proie à la perplexité.

— Cassy? fait-elle en silence.

Je secoue la tête à mon tour, souris, traverse.

— Rolly, dis-je.

Le roi des brutes est donc descendu de ses montagnes pour faire voir à ses petits trolls le monde d'ici-bas.

— Merde!

Il secoue la tête.

— C'est toi. Merde, Cassy, je te croyais morte!

— Ouais.

Je ris, hausse les épaules. Je désigne la salle de jeux vidéo du menton.

— Cindi?

Il pose sur moi un regard empreint de patience et de fierté.

— Ouais. Elle est un peu cinglée, mais bon, merde. Elle me supporte.

Un silence. J'allume une cigarette.

— Tu, euh, vis par ici? demande Rolly en soufflant sa fumée.

Elle décrit un arc de cercle.

— Ouais. Dans un machin comme ça, dis-je en désignant sa grosse bagnole.

— Tu vis dans un 4 x 4? demande-t-il en riant.

Je souris.

— Non, une Chevrolet.

Je marque une pause.

— Décapotable.

Il secoue la tête, me sourit.

— T'as pas changé, hein, Cassy?

Je tourne mon regard vers la rue, le point de fuite, où j'aperçois à peine le reflet de l'océan.

— Ouais, ben, tu sais.

Il me dévisage pendant un moment, l'air grave.

— Écoute, dit-il. Les enfants en ont pour des heures dans cette foutue salle de jeux et, après, Cindi peut les emmener manger toute seule. Qu'est-ce que tu dirais d'aller prendre un café ou quelque chose comme ça?

Nous avons au préalable obtenu la bénédiction de Cindi, qui me sourit comme si j'étais un personnage de foire ambulante, une punk en bocal qui lui fout la trouille, une femme à barbe avec qui elle se sent une vague affinité sans trop savoir pourquoi. Ensuite, nous marchons jusqu'à la promenade et j'apprends que Rolly et sa progéniture ne passent que deux ou trois semaines sous le soleil de la Californie. Il fait construire un ranch dans l'intérieur de la Colombie-Britannique, où lui, Cindi et une armée de travailleurs sociaux espèrent apprendre aux enfants de la rue à monter à cheval et, t'sais, à apprécier la nature et tout ça. Après, il récite toute la litanie : il a abandonné l'école, a suivi Cindi dans le nord, où sa famille avait une maison, et c'est là qu'ils ont eu leur premier enfant. Pour subvenir aux besoins de la famille, Rolly a vendu de l'herbe, du haschich, des pilules et des potions que lui fournissaient ses copains de la ville, puis il s'est fait pincer juste après la naissance de leur deuxième enfant, qui avait près de trois ans lorsqu'il l'a enfin revue. Cindi et les deux petits vivaient parmi une bande de hippies, elle ne voulait plus de lui, les années de déchéance, la vie de clochard, puis la vie rude au cœur des montagnes. Il a découvert les AA ou une organisation du même genre, je suppose, même s'il n'a pas parlé du « programme », sauf que sans ça il ne serait pas là aujourd'hui. Deux ou trois des enfants qu'il trimballe sur la côte ne sont pas à lui et il s'en fout complètement.

— Si j'en ai pas plus, déclare-t-il en souriant au-dessus des vestiges d'une platée de viande monstrueuse qu'il a dévorée à belles dents, c'est uniquement parce que je suis pas une femme. Leurs pères sont pas au courant, pas vraiment, mais c'est sans importance. Nous en avons adopté deux ou trois, dont l'un d'une vieille amie à moi, un autre d'une sorte d'agence, nous avons rencontré sa mère biologique et tout et tout, c'est un peu bizarre des fois, mais bof, nous avons une grande maison. Trois enfants ou six, c'est le même bordel, tu comprends ?

Je finis mon verre, un scotch coupé de soda, vu l'heure matinale. Je le vois faire une coche dans une liste imaginaire.

— T'es sûre que tu veux rien manger, Cassy ? demande-t-il.

Autre élément de la liste, sans doute.

Je secoue la tête.

— Nan, j'ai pris un gros déjeuner.

Il laisse tomber, même si je vois bien qu'il sait que je mens.

— Pourquoi est-ce qu'elle a accepté de te reprendre ?

La serveuse se penche pour débarrasser l'assiette et, sans la moindre subtilité, Rolly plonge le regard dans son corsage.

— Hein?

Il secoue la tête, sourit.

— Pardon. Je suis toujours incapable de laisser une belle paire me passer sous le nez sans y accorder l'attention qu'elle mérite.

Nous rions. Il hésite.

— Je sais pas vraiment pourquoi, dit-il en allumant une cigarette. Des fois, je me dis que c'est parce que nous nous aimons vraiment, tu sais? Peut-être qu'elle aime m'avoir à côté d'elle. À moins que pour elle je sois juste un enfant de plus, une autre catastrophe ambulante, et qu'elle essaie de limiter les dégâts. Je sais pas. Ce que je sais, c'est que les enfants font notre bonheur, que, sans eux, nous formerions juste une sale paire. Nous serions probablement ensemble quand même. Seulement, nous aurions moins de plaisir que maintenant. Je sais pas. Je pense que je l'aime vraiment et je sais que sans elle ma vie serait de la merde. C'est peut-être ça, tu sais. C'est peut-être ça.

Je hoche la tête. C'est là que c'est arrivé. Il m'a regardée par-dessus la fumée de sa cigarette, a froncé les sourcils et m'a demandé:

— Qu'est-ce qui t'est arrivé, Cassy?

Aïe.

— Quoi?

— Allons, *man,* il est onze heures du matin et t'as déjà commencé à picoler, tu habites dans une auto, t'as du travail, au moins ? Voyons, Cassy. Dis-moi comment c'est arrivé.

Il a l'air fâché, comme s'il était déçu que je ne sois pas morte. Aux yeux de certains, un suicide romantique à l'adolescence est peut-être plus beau qu'une vie ratée.

— Mais oui, j'en ai, dis-je d'un ton irrité, les bras croisés comme une enfant gâtée.

— Quoi ?

Il plisse son front, la liste de contrôle pour le moment oubliée.

— Je travaille. J'ai un putain de travail, d'accord ? Je fais bander des types qui me paient pour avoir le privilège de pas me toucher. Je réchauffe les clients dans une boîte de striptease. Je gagne pas beaucoup, mais ça me suffit, d'accord ?

Il y a un moment de silence. Je parie qu'il consulte la liste. Il pousse un soupir.

— Excuse-moi. On reprend tout depuis le début, tu veux ?

Il fait signe à la serveuse, commande un café

— Et pour madame ?

La blouse de celle-là lui pète sur le dos et, franchement, je ne pourrais pas vous dire la couleur de ses yeux.

— Hein ?

Je secoue la tête, vois Rolly réprimer un rire.

— La même chose, s'il vous plaît, dis-je en faisant tinter les restes de glaçons dans mon verre.

Elle s'éloigne. Nous admirons son cul.

— Merde, disons-nous à l'unisson en secouant la tête.

Rolly me regarde.

— Je suis désolé de…

— … m'avoir soumise à un interrogatoire en règle de si bon matin ? Bah, ça fait rien. J'aime bien quand de vieux copains débarquent à l'improviste et me demandent comment je suis devenue une misérable épave.

— Rentre tes griffes, petite demoiselle. Je voulais seulement, seulement…

Sa voix s'éteint. Les mamelles de la serveuse s'arrêtent, se penchent, s'éloignent de la table, s'en vont en laissant derrière elles un café et un verre d'alcool.

— Tu sais comment c'était, finit-il par dire en passant la main dans ses cheveux.

Comment c'était ? Comme une chaîne en papier : on voit à travers et on ne peut rien attacher avec.

C'était moi, cette petite maigrichonne qui faisais l'école buissonnière et multipliais les fugues, et c'était Rolly, l'objet de tous les récits. Son papa avait tué quelqu'un. Il savait faire démarrer une voiture en trafiquant les fils. Il avait couché avec Mme Lombardo, qui était jeune et jolie et avait un mari incroyablement brillant, riche et aimable dont le seul défaut était que son travail de génie l'obligeait à vivre en France. Il obligeait les filles à lui verser un droit de passage, en général leur petite culotte. En cas de refus, il s'en prenait à leur copain. Ce Rolly-là. Et c'est lui qui, pour une raison quelconque, semblait bien m'aimer, et c'est lui qui m'avait extirpée de la merde dans laquelle je croupissais à la maison. Lui.

Moi et Rolly et Joey et Pete le Fou et Stiff et Ti-Tommy aux lunettes qu'une courroie empêchait de tomber, une courroie qui, à y regarder de plus près, était la bande élastique d'une petite culotte qui, prétendait-il, venait tout droit du cul d'une fille en chair et en os, mais je pense plutôt qu'il l'avait trouvée quelque part. Nous construisions des rampes casse-cou et des parcours à obstacles à l'aide de pneus, de vieilles feuilles de contreplaqué et de tôle ondulée, de portes de frigidaires et de cuisinières rouillées et puantes, tout ce que nous dégotions dans les ruelles et les terrains vagues. La même camelote que dans les magasins, sauf qu'on avait jeté ces objets comme nous nous jetions vers notre perte du haut de tout ce qui supportait notre poids, nous étions brisés de partout, tellement qu'il nous poussait de nouvelles articulations, et nous perdions des terminaisons nerveuses à force de prendre des coups et de mal calculer les risques encore et encore et de surestimer les pouvoirs de nos corps d'enfants de neuf ans, tous les enfants de cet âge étant en secret persuadés d'être des superhéros, certains d'ailleurs moins en secret que d'autres. Si on s'était intéressé à nous, peut-être aurait-on remarqué quelque chose. Peut-être aurait-on remarqué l'ardeur avec laquelle nous abordions ces projets, ardeur qui à l'adolescence s'oriente vers l'alcool, la vitesse, la musique forte et les escapades dans la nuit, peut-être même aurait-on remarqué avant qu'il nous arrive malheur que certains d'entre nous étions déjà passés maîtres dans l'art de l'oubli, de l'évasion. Mais personne ne remarquait rien, tout le monde s'en foutait, et d'ailleurs c'était tant mieux. La dernière chose que nous voulions, pour l'amour du ciel, c'était qu'on nous remarque.

Et Rolly crevait les pneus de ceux qui m'appelaient la Touffe. Surnom inévitable vu que j'étais la seule fille de la bande. Ça ne me dérangeait pas du tout et je ne m'en souviendrais même pas, sauf que c'était les seules fois que quelqu'un avait pris ma défense, et c'était Rolly, qui n'avait jamais pris la défense de personne. Mais il l'a fait. Pour moi.

— Ouais, Rolly. Je m'en souviens.

Il sort deux cigarettes de son paquet, les allume, m'en tend une.

— Merci, dis-je.

Je l'examine pendant qu'il regarde par la fenêtre. Il a l'air vieilli et fatigué, il a sous les manchettes de sa chemise des tatouages de bagnard pâlissants, des rides causées par le soleil et la vie dans la rue, l'air épuisé, peut-être parce qu'il a beaucoup vécu en peu de temps, peut-être parce qu'il a vécu à fond, peut-être même, merde, parce qu'il doit courir après une flopée d'enfants. Il a cependant les mêmes yeux vifs un peu déments, bleus, toujours en quête d'un mauvais coup. Il s'éclaircit la gorge.

— Euh... J'ai jamais eu l'occasion de te le dire en personne... Quand j'ai appris la nouvelle, j'aurais voulu t'écrire, je sais pas, mais c'était il y a longtemps et je savais pas où tu étais…

Je m'octroie une gorgée monstre. J'ignore où il veut en venir, ça peut être n'importe quoi.

— Je suis désolé pour ta mère.

— Ma mère?

Il fouille le fond du cendrier du bout de sa cigarette.

— Ouais, ça fait longtemps que je suis au courant, mais c'était deux ou trois ans après… Pour faire changement, j'avais mes propres embêtements.

Il rit un peu, genre nerveux, se ressaisit, poursuit.

— De toute façon, je suis désolé, Cassy. T'as dû beaucoup souffrir. T'étais juste une enfant, après tout.

Je ne trouve rien à dire, il n'y a rien à dire.

Compte-t-il sur moi pour lui expliquer pourquoi maman a recouvert nos fenêtres de nos couvertures les plus opaques en disant qu'elle n'arriverait pas à dormir autrement? Veut-il que je lui parle de la fois où maman est restée au lit toute une journée, puis toute une nuit, puis toute la journée du lendemain? Nous avions construit un fort, Pony et moi, et nous avions mangé du fromage et des biscottes, bu de l'eau dans de petits chaudrons parce que tous les verres étaient sales, enfouis dans l'évier, tachés et dégoulinants de peinture, vestiges du dernier sursaut d'énergie de maman, des semaines auparavant. Elle avait tendu une toile immense et s'était mise à peindre.

— Je…

Il me regarde. C'est comme s'il avait le mot SOL-
LICITUDE tatoué sur le front et je ne sais pas comment dire…

Elle avait commencé à peindre un cul de cheval.
Il était rouge et voluptueux comme celui d'aucun cheval sur cette terre, rond comme une pomme, mais en
beaucoup plus sexy. Il y avait aussi l'ébauche d'une
patte, deux ou trois essais de couleurs dans le coin inférieur droit. Je savais que la toile demeurerait à jamais
inachevée.

— Cassy.

Elle m'a appelée du haut du fenil où se trouvait
son lit. En principe, toutes nos chambres étaient là, mais
Pony et moi n'y dormions plus depuis un moment.
Nous dormions plutôt par terre, en bas, au milieu des
vaches fantômes, comme chaque fois qu'elle était dans
cet état. Nous nous sentions en sécurité. Loin.

— Cassy.

Sa voix était grêle et faible, brune comme la lumière
de là-bas, tachée de thé, parcourue de lignes comme les
tasses à thé, là où le liquide a séché, croûté, bruni.

Pony m'a regardée.

— Je sais. Je suis pas sourde. Et alors?

Pony m'a regardée une autre fois, avec plus d'in-
sistance. Puis, une main potelée sur son genou, elle a
fait mine de se lever. Je l'ai retenue.

— C'est bon, c'est bon, j'y vais… Seigneur.

Je suis montée au fenil en passant par le petit escalier en forme d'échelle, au bois usé, lisse sous ma main. Près du lit, j'ai baissé les yeux sur maman. Elle était ensevelie sous des montagnes de couvertures, rembourrée de toutes parts, emmitouflée sous des couvertures dont j'ignorais jusqu'à l'existence. Elle avait les yeux bouffis et creusés en même temps, ses iris sombres disparaissaient sous ses paupières mi-closes, s'enfonçaient, s'enfonçaient, m'entraînaient avec eux.

— Quoi? ai-je demandé.

— Vous avez faim, les filles? Vous voulez que je vous prépare quelque chose?

Elle avait prononcé ces mots les paupières hermétiquement fermées, en remuant à peine les lèvres, comme si elle craignait de les fissurer.

— Non, ai-je répondu.

Ce que je n'ai pas dit, c'est qu'il n'y avait rien à préparer, rien du tout, sauf de la peinture et un cul de cheval. Je n'ai pas dit que nous avions faim parce que nous n'avions pas faim. Au bout de quelques jours de jeûne, on ne sent plus rien. J'ai regardé maman, ses lèvres craquelées, les rides autour de ses yeux, celles qu'elle remplissait et dissimulait sous le maquillage quand elle sortait. Quand elle allait à la pêche, avions-nous coutume de dire, Pony et moi.

— Tu veux quelque chose?

Elle pleurait, d'étroits ruisseaux de larmes jaillissaient de ses paupières fermées, suivaient les fissures et les sentiers de sa peau, glissaient.

— Non, a-t-elle répondu. Ne te fais pas de souci pour moi. Je vais bien.

— On dirait pas. T'as dormi ?

Elle a ouvert les yeux et m'a regardée. Puis elle a secoué la tête.

— Tu veux bien t'étendre une minute, mon poussin ? T'étendre avec moi ?

Elle m'a fait une petite place par-dessus les couvertures dont j'ignorais jusqu'à l'existence, et elle a passé son bras autour de moi, sous les couvertures, et j'ai eu l'impression d'être serrée à mort par un jouet en peluche géant, et je l'ai entendue pleurer sans bruit, comme si elle craignait que ce soit interdit, que je me fâche en l'entendant, et elle a pressé son visage contre mon dos, et elle me serrait trop fort mais je l'ai laissée faire. Pony était arrivée sur les entrefaites, et elle est venue se coller avec nous, s'est blottie contre le large dos de maman, et elles se sont endormies toutes les deux, et moi j'écoutais leurs respirations lentes et basses en contemplant les étoiles par les fissures du toit. Elles passaient au-dessus de nous, lentes, hautes, éloignées et magnifiques, magnifiques parce qu'elles étaient presque perdues, presque invisibles à l'œil nu et pourtant, allez savoir pourquoi, là.

Je souris. En tout cas, j'essaie.

— Ça va, Rolly. Tu l'as dit toi-même : c'était il y a longtemps.

Il se gratte le menton, prend une profonde inspiration.

— Je peux te poser une question ?

Je hoche la tête.

— J'ai entendu dire que c'était à cause d'un type, celui que ta mère voyait juste avant que… Il l'aurait fait interner ou je sais pas quoi. Si je te pose la question, c'est parce que je pourrais peut-être faire quelque chose. À propos de lui, je veux dire. Tu comprends?

Il n'y a rien à faire, ai-je envie de dire. Il n'y a rien à faire et il n'y aurait jamais rien à faire, rien du tout, plus jamais.

Parce que à l'époque j'étais revenue à la maison à cause de maman qui n'allait pas bien. Et j'ai beau faire tout de travers dans ma vie, je ne laisse pas tomber les miens sans me battre. Malgré tout ce qui s'était passé et la certitude que j'avais qu'elle trouverait le moyen de tout me mettre sur le dos, c'était ma mère, ma seule et unique. Je l'ai nourrie et je suis restée à la maison le soir pour jouer avec elle à des jeux de société de merde et parfois je décelais une lueur dans ses yeux, comme avant, quand il lui arrivait d'être heureuse, une lueur laissant croire qu'elle était contente d'être là pour voir ceci ou cela. Mais la plupart du temps, il n'y avait rien. En gros, elle me regardait comme si elle ne savait pas vraiment qui j'étais sinon que je lui avais fait du tort. En gros, ses yeux étaient éteints et quand j'y plongeais les miens j'avais du mal à croire que quelqu'un avait pu un jour être heureux, elle encore moins que les autres. Au bout d'un certain temps, j'avais cessé de regarder dedans parce que ça me faisait trop mal. Et puis elle a recommencé à aller à la pêche. Quand je rentrais de l'école, elle était sortie. Pour toute preuve de son existence, je trouvais une tasse au bord sale à moitié remplie de thé froid, et deux ou trois mégots tachés de rouge à lèvres. Je l'attendais en fumant et en buvant du thé assise dans l'escalier de secours, à l'écoute des bruits des autres : des éclats de rire joyeux, une fête débridée quelque part, la musique et le tintement des verres parcourant des distances impossibles pour parvenir jusqu'à moi. Je tendais l'oreille dans l'attente d'un signe. Peut-être un de ces bruits s'adresserait-il à moi. Peut-être une note parfaite me dirait-elle quelque chose. Quelque chose de stupide. Que quelque part des gens s'aimaient comme nous étions censés nous aimer. Que quelque part il était possible d'être heureux. Le sens des bruits, c'était ça.

Faut-il lui dire qu'un soir comme celui-là elle n'était pas rentrée ? Faut-il lui dire que c'est arrivé, que c'était déjà arrivé, que ça arrivait tout le temps ? Qu'elle allait chez le premier venu, à condition qu'il ait une étincelle dans l'œil, il suffisait d'un peu de baratin je suppose. Ou peut-être qu'elle était déjà au-delà de ce que le baratin pouvait faire pour elle, peut-être même aussi qu'elle s'en foutait déjà complètement. Quand, le lendemain, on m'a fait sortir de classe pour m'apprendre que maman était en établissement, ça m'a malgré tout fait un choc. Pas un gros, mais quand même.

Faut-il lui dire que je suis allée là-bas ? Que j'ai

parlé à ma mère dans un morne jardin d'herbes sous l'œil vigilant d'un gardien? Que la dernière chose qu'elle m'a dite, c'est qu'elle aurait préféré que l'autre vienne? Elle aurait voulu que ce soit l'autre plutôt que moi qui lui rende visite. Je lui ai tendu la poignée de billets tout fripés que j'avais dans ma poche et je suis rentrée. Et plus tard, j'imagine, à moins que ça ne se soit pas produit tout d'un coup, elle a franchi le dernier pas à l'aide de ce qu'elle avait sous la main, et elle s'est enfin décidée à manger. Quoi donc? Des bouts d'éponge, du métal, du verre. On a aussi trouvé en elle un peu du jardin d'herbes, le paquet de cigarettes que je lui avais apporté, des lames de cutter, quoique celles-là j'ignore comment elle se les était procurées, l'armature métallique de son soutien-gorge et tout le contenu de son portefeuille, le papier et le plastique, presque tout ce qu'elle portait, sauf son collier, et les pages de ce qui était peut-être son journal intime, mais on n'a pas voulu me le laisser lire.

Et que j'ai jeté ses cendres à la mer. Faut-il vraiment lui parler de ça? Lui dire que rien ne l'avait jamais rendue heureuse? Moi, l'océan me rendait heureuse, et je me suis dit que c'était peut-être assez. L'océan, cependant, l'a prise, l'a fait tourner dans sa gueule bordée d'écume blanche et me l'a recrachée à la figure. Quelque chose comme un ricanement. Comme si elle était revenue à seule fin de me dire une dernière chose, juste pour que je comprenne sans la moindre ambiguïté, sans la moindre équivoque, que mes efforts, aussi vaillants soient-ils, ne seraient jamais, jamais suffisants.

Je ne suis plus allée à l'école. Je n'ai plus répondu au téléphone. Personne n'est venu le débrancher. J'avais disparu ou encore c'était tout le reste qui n'existait plus.

Et pendant un moment il n'y a plus rien eu, rien que le calme.

— Je ne pense pas que…

Je m'arrête pour allumer une cigarette.

— Merci, Rolly, tu sais, mais… merci quand même.

Il repousse sa tasse vide.

— Après tout ce temps, je me suis dit que c'était la moindre des choses.

Je souris.

— Ouais.

Je m'interromps.

— D'accord. Alors je peux te poser une question à mon tour ?

Il écarte les mains, fait signe que oui.

— Je t'écoute.

— Ce que j'aimerais savoir, c'est si…

Pour une raison que j'ignore, je n'arrive pas à prononcer les mots. Quoi ? Je ne sais plus parler, maintenant ?

Il m'a regardée, les yeux plissés.

— Quoi ?

Après un moment d'hésitation, j'ai plongé mon regard dans le sien.

— À propos de Jesse. As-tu vraiment essayé de…

Il secoue la tête.

— Non, Cassy, non. Je voulais juste lui faire peur, l'obliger à te lâcher.

J'ai incliné la tête.

— Je voulais qu'il me laisse tranquille, moi ? Je t'avais demandé quelque chose ? Tu voulais juste montrer tes gros bras ?

Quand il me regarde, ses yeux sont tout bizarres, trop brillants, désorientés.

— Je voulais juste… qu'il s'en aille…

— Merde, Rolly.

J'écrase mon mégot dans le cendrier.

— T'es un drôle d'oiseau, tu sais ?

Il baisse la tête, murmure :

— Je sais, Cassy. Je sais. Je voulais pas… Je… J'étais… comme un chien qui pisse, tu comprends ? C'est tout. Je voulais pas…

Je hausse les épaules.

— Alors, t'as pissé sur Jesse ? C'est tout ? Ça suffit, comme explication ?

— C'était il y a longtemps, merde, Cassy !

Soudain, il abat ses grosses mains sur la table. La serveuse lève les yeux. D'un geste, je lui fais comprendre qu'il ne faut pas s'en faire. Il recommence à chuchoter :

— Tu crois que ça m'a pas rongé ? Tu crois que je m'en fous, de ce que j'ai fait ? T'étais partie… et maintenant tu penses que j'ai fait exprès ? Merde.

Il s'arrête, reluque mon verre.

— Alors, Cassy, merde. Qu'est-ce que tu veux ? Qu'est-ce que tu veux que je fasse maintenant ?

— Je sais pas, dis-je en finissant mon verre d'un trait, mais je suis sûre que tu vas penser à quelque chose.

— Fuuuuck, fait-il en poussant un long soupir. Je suis désolé, d'accord?

— Merci, mon petit vieux, mais c'est pas à moi que tu dois des excuses.

Il accueille ces mots avec son drôle d'air, et je le laisse là, perdu, irrésolu. Qu'il se démerde tout seul, merde. Je me lève et je m'engage dans le couloir qui conduit à la salle de bains, boîte à chaussures décrépite en position verticale qui baigne dans un éclairage jaune, les sempiternels graffitis, les poèmes cités de travers, qui aime qui et qui a envie de devenir gouine vu que les hommes sont des enculés, des graffitis de merde dans des chiottes de merde. Je tremble. C'est trop d'eau pour ma cruche. C'est ce que disait M. Benson, le vieux qui vivait au bout du couloir, quand la situation dégénérait plus que d'habitude. Bien vu. Je sors mon pilulier, celui avec Jésus sur le couvercle, et je prends un comprimé, un truc pour émousser les bords, les rendre un peu moins tranchants, faire que je me sente bien, bien, bien.

Jesse. Le merdier.

Pendant longtemps, Jesse a été la seule bonne chose qui me soit arrivée. Il m'aimait sans raison particulière et moi pareillement.

Chez lui, il y avait plus de gens que je n'en avais jamais vu sous un même toit : des petits braillards au teint rougeaud et des grands qui traînaient déjà leurs propres braillards au teint rougeaud. Ils vivaient au moins ensemble, sinon en harmonie. Ils avaient emménagé au bout de la ruelle et, un soir, Jesse est apparu comme un fantôme au milieu des orties du fossé. C'était l'enfant le plus blanc que j'aie jamais vu et je ne fais pas référence à sa race. Je veux juste parler de sa couleur. Il était blanc. Sauf ses cheveux, un épi dru et foncé. Il avait aussi des yeux blancs qui regardaient calmement par en dessous. Rolly et moi, nous avons arrêté nos bécanes pourries, ruines ambulantes bricolées à partir de rebuts et de pièces volées, la mienne rose bonbon sous la peinture noire, les bras, les jambes et les têtes de figurines hétéroclites accrochés à nos guidons, des queues d'animaux en peluche flottant derrière nous quand nous roulions à vive allure.

Rolly a tendu le menton vers Jesse.

— C'est qui, le nouveau?

Il s'était adressé à moi, et non à Jesse.

— Sais pas.

J'ai regardé Jesse.

Il a soutenu mon regard. Haussé les épaules.

— Vous le saurez bien assez tôt, je suppose, a-t-il dit en traversant le fossé.

Puis il a disparu derrière la clôture pourrie de sa maison, dont le loquet ne fermait pas.

Peu de temps après, nous avons été ensemble en retenue. L'institutrice, une blonde nerveuse et filiforme à l'accent français et au nom allemand, casait les retenues dans le temps qu'elle passait à l'école en nous réunissant dans le vestiaire à l'heure du midi. Elle croyait nous punir. Pour la plupart des élèves, c'était plutôt une libération, une façon d'échapper à la torture du midi. Par moments, les fluctuations des allégeances et des redevances à payer étaient un peu dures à supporter. Le vestiaire n'était pas si mal, tout compte fait. Il était clair, calme et il y avait une fenêtre par où souffler la fumée de nos cigarettes. J'allais refermer la porte derrière moi quand Mme Baer est apparue avec Jesse.

— On se revoit à une heure, a-t-elle dit en le poussant vers moi et en verrouillant la porte.

Puis elle est partie griller quelques cigarettes de son côté et peut-être avaler quelque chose de chaud avant de se jeter de nouveau dans la fosse aux lions. Nous n'étions pas des enfants modèles. Nous n'étions ni des oasis de repos ni des sources de fierté. Ni pour les maîtres, ni pour les parents.

— Salut, ai-je dit en poussant le manteau qui traînait sur un banc assez grand pour accueillir nos deux derrières maigrichons.

— Salut, a-t-il dit en regardant autour de lui. C'est permis?

J'ai ricané.

— Qu'est-ce qui l'est?

Il a souri.

— T'as raison.

J'ai pris un mégot dans la boîte en métal où je les conservais, vous seriez étonné de voir ce que jettent les gens, c'est vrai, je vous jure. J'ai tendu la boîte au nouveau.

— Une cigarette?

— Tu fumes? a-t-il demandé en posant les yeux sur les bouts jaunis, tachés de rouge à lèvres, fripés.

Il y avait une ou deux cigarettes à peine entamées que je me réservais pour plus tard. J'ai refermé la boîte sèchement.

— Pas toi? ai-je riposté en m'allumant.

— Non, c'est pas ce que je... C'est juste que tu as l'air... trop petite pour fumer.

— Je suis dans la même classe que toi, non?

— Ouais, mais j'ai entendu dire que t'avais sauté une année ou quelque chose comme ça.

Je l'ai foudroyé du regard. J'avais deux fentes à la place des yeux.

— Qui c'est qui t'a dit ça?

Il a regardé par terre, des cheveux lui barraient le visage.

— Sais pas. Personne.

— C'est faux. J'ai commencé tôt, c'est tout. Ils ont voulu me faire sauter une année, mais je te jure, mon vieux, que j'ai déjà assez de problèmes comme ça, tu comprends?

Il s'est tourné vers moi pour me jauger un peu. Petite pour mon âge, environ un an de moins que tous les autres, vu qu'on m'avait effectivement fait sauter une année, des siècles auparavant, dans l'une des écoles que j'avais fréquentées, longtemps, longtemps auparavant, à cause d'un test stupide: on m'avait sortie de la classe ordinaire pour me mettre dans une classe d'élèves « doués ». J'ai détesté cette classe-là plus encore que l'autre. Parce que s'il y a une chose plus insupportable que des gens stupides, *man,* ce sont des gens stupides qui se croient doués. Chez ces arriérés, j'ai passé des heures à dessiner des élèves riches, brillants et mignons en train de mourir dans d'horribles explosions, de tomber du haut d'avions, leur bouche s'ouvrait jusqu'à l'arrière de leur crâne et ils s'avalaient eux-mêmes, gloup, finis, disparus. En tout cas. J'étais encore loin du stade de bourgeonnement où se trouvaient la plupart des autres filles, qui déblatéraient sans arrêt sur leurs règles et elles devenaient toutes douces et toutes molles, sans se rendre compte que leur corps les avait trahies, sans prendre conscience des tensions dans la cour d'école, comme j'en étais capable, moi, d'assez loin, comme là, juste là, debout près de la petite fenêtre. En écrasant mon mégot sur le mur extérieur, j'ai promené mon regard sur les multitudes entremêlées. Quelques filles se baladaient encore avec une poupée, quelques-unes lisaient des magazines de mode, d'autres se déhanchaient aux limites du terrain. Sur l'asphalte, les garçons multipliaient les mauvais coups, enfreignaient les règles juste pour ne pas jouer le jeu, dans l'espoir de se casser un os, de se casser quelque chose. C'était franchement dégoûtant. Je ne voulais rien savoir de tout ça.

— Ça va? a-t-il demandé.

Je suis descendue du banc.

— Ouais, t'sais.

J'ai haussé les épaules, marqué une pause, bien regardé le garçon.

— Je m'appelle Cassy, ai-je dit en tendant la main.

— Je sais. Moi, c'est Jesse, a-t-il répondu en s'en emparant.

Et nous avons fait les bêtises que font les enfants, roulé à vélo dans les fossés, lu des bandes dessinées volées, rêvé de l'avenir qui, pour une raison que j'ignore, était radieux, comme rien ne l'avait été jusque-là, d'où, je suppose, la beauté de l'affaire. Nous avons trouvé des choses mortes et nous les avons regardées se décomposer. Nous avons passé des nuits à siroter des slushes aux couleurs phosphorescentes arrosées d'alcool que Jesse avait piqué à quelqu'un de la smala. Nous parlions de tout et de rien et nous inventions le reste. Certains diraient que nous nous sommes initiés mutuellement à l'art de mentir, mais c'est faux, complètement faux. Pour la première fois ou presque, quelqu'un avait les couilles d'être totalement honnête avec moi. Les mots ne coïncidaient peut-être pas toujours avec la vérité, mais ça ne veut pas dire qu'ils étaient malhonnêtes. Nous nous sommes juste rapprochés et rapprochés encore, vous savez, des choses qu'on ne peut jamais dire.

Puis, un soir, Rolly a attaqué Jesse derrière le magasin ouvert toute la nuit. Il l'a battu avec une chaîne, lui a fendu le crâne. Jesse a disparu, a refusé de me voir. Un des membres de sa smala est venu sonner à la maison et m'a remis une lettre. Après, j'ai été un bout de temps sans voir Jesse. Je n'ai pas vu Rolly non plus, pendant un moment. À sa sortie du centre de détention, il s'est mis à me suivre partout. Il voulait que je revienne, que tout soit comme avant, avant l'arrivée de Jesse. Je lui ai dit d'aller se faire foutre. J'étais de nouveau toute seule.

Et tout me revient d'un coup, maman, Jesse, l'enfer, tous les autres, le moindre détail de merde, tout agglutiné, comprimé dans une petite boule, comme un pain blanc bon marché qu'on peut caser tout entier dans sa bouche. J'avale une autre pilule parce que, tu vois, c'est juste le commencement. La miche de pain, là, va gonfler mon ventre, m'écrabouiller les entrailles. Les broyer. Je sors des toilettes.

À la table, Rolly fume une cigarette en regardant par la fenêtre, où il n'y a pas grand-chose à voir. Deux ou trois gamins passent en coup de vent sur une planche maison merdique. L'un d'eux réussit à s'arracher de terre, juste un peu, trébuche, fait comme si de rien n'était, comme si personne n'avait rien vu.

Rolly lève les yeux sur moi.

— Ça va ?

— Évidemment.

Je hausse les épaules.

— Écoute, Cassy, dit-il en déposant sa cigarette.

Il me regarde dans les yeux.

— Je suis désolé, d'accord ? Sincèrement. Ça m'a foutu à l'envers moi aussi, cette histoire, tu comprends ?

Toujours debout, je fais oui de la tête.

— Je sais.

— Si je pouvais demander pardon à Jesse, je le ferais.

Je hoche la tête, ferme les yeux. Souffle.

— D'accord, Rolly.

— D'accord.

Il écrase son mégot. Devant la fenêtre, les garçons nous montrent leur cul, s'enfuient en courant. Je souris, regarde Rolly. Il sourit à son tour.

— Écoute, dis-je. Et si on foutait le camp ? Cindi doit se demander ce que tu fabriques, non ?

— Nan, les enfants et elle peuvent bien se débrouiller tout seuls pendant un moment. Tu veux qu'on sorte ?

— Ouais.

J'exécute une petite danse.

— Allons nous amuser. Tu vas pas te contenter d'une salle de jeux vidéo et d'un resto de merde, pendant que t'es là ?

Il me dévisage d'un air méfiant, les yeux plissés.

— Holà ! T'aurais pas l'idée de me faire visiter Disneyland, par hasard ?

— Va te faire voir !

Nous rions et nous foutons le camp.

Par le boardwalk, nous avons gagné un petit immeuble en forme de boîte à chaussures qui aurait pris l'eau. Ses vieilles peaux tombent une à une, des taches d'antique peinture dorée s'accrochent encore à de fausses arabesques. Devant, il y a un guichet en forme de tête de femme dont la bouche s'ouvre pour permettre les échanges d'argent. Rolly me regarde, hausse les sourcils mais ne dit rien. Je l'entraîne à l'arrière, où j'ouvre la vieille porte vermoulue. On dirait que la bâtisse exhale une haleine, que nous nous enfonçons dans des poumons agonisants. Nous gravissons trois marches, empruntons le couloir. Après trois autres marches, nous passons devant de vieilles crinolines moisies suspendues à des cintres le long des murs, pareilles à des suicidées, des plumes arrachées à des oiseaux morts bien avant la naissance de mon grand-père, à supposer qu'il ait existé, un mur tapissé de velours croûté dur au toucher et qui s'égrène au moindre contact et nous sommes arrivés.

— Merde, souffle Rolly.

Pas fort, comme s'il respirait.

Nous sommes sur la scène, d'où la moitié des planches sont absentes. On les a arrachées depuis longtemps pour faire du feu, aménager des rampes, construire des maisons dans les arbres, allez savoir, mais j'ai conduit Rolly sur le devant, là où la scène est à peu près intacte. Nous surplombons la fosse d'orchestre et les fauteuils qui, derrière, s'étirent jusqu'au fond. La peinture s'écaille, mais, malgré la poussière et les ravages du temps, on voit encore luire beaucoup de vieil or. Des statues d'enfants nus, de femmes nues et d'hommes nus. Il y a ici toutes sortes de statues qui s'échangent des faveurs, un auditorium de corps et de fauteuils vides impatients d'en accueillir un tas d'autres.

— Il y a très longtemps, c'était un théâtre de variétés. Il s'appelait l'Oriental Palace, je crois, mais les gens disaient le Swell. Une fois, je suis tombée sur un vieux type qui m'a dit qu'il s'en passait des belles ici, qu'il y a à l'étage des chambres qui sont en réalité des lits géants. C'en étaient, en tout cas.

Rolly va à gauche et à droite, touche à tout. Il faut dire qu'on ne voit pas grand-chose là-dedans. Il se tourne vers moi.

— Tu viens ici souvent, Cassy?

Je hausse les épaules.

— Ouais. Le plus drôle, c'est que c'est un bon endroit où être seule, tu vois?

Il reste immobile pendant un moment, caresse d'un air distrait le cul doré d'un cupidon.

— Cassy?

— Ouais?

— Je suis vraiment désolé pour… tout.

J'allume une cigarette, souffle la fumée.

— C'est… Laisse tomber, Rolly. C'est fini. C'est toi qui l'as dit.

Il hésite.

— Je sais, mais j'étais un tel salaud dans ce temps-là, Cassy. Et c'était seulement pour… toi.

Je laisse échapper une sorte de rire à travers mes narines.

— Dis pas de bêtises, Rolly. T'étais un salaud longtemps avant de me connaître.

Il rit, allume une cigarette.

— C'est vrai, mais… J'ai fait une bêtise. Je… Je te fais des excuses, tu comprends. Ça te dérangerait de les accepter?

— Bon, d'accord, Rolly, je les accepte, mais tu vas pas me faire le coup des AA, non ?

— Un instant. Les AA ont beaucoup fait pour moi et…

Je pose une main sur son bras.

— C'était juste une blague, mon garçon. Calme tes petits nerfs, tu veux ?

Il sourit, pose sa main sur ma taille, m'attire vers lui, fait le geste de m'embrasser. Je me dégage en vitesse.

— Rolly…

Je secoue la tête. Il soupire.

— T'as pas changé, hein ?

— Ouais, on peut dire ça. Bon, il faut que j'y aille, moi.

J'écrase mon mégot sous ma semelle, je regarde dans un trou au milieu des planches et je suis prise de vertige comme quand le noir en dessous semble se prolonger à l'infini, sans la moindre parcelle de terre ferme en vue. À l'infini.

— Merde, Cassy, ne… Je voulais pas…

— Non, Rolly, c'est pas ça. Il faut vraiment que j'y aille. Mais je te raccompagne jusqu'à la salle de jeux vidéo et à tes enfants, d'accord ?

Avant que j'aie eu le temps de réagir, il m'embrasse, les mains derrière ma tête, me serre contre lui. Je le repousse.

— Excuse-moi, Cassy. Je voulais, tu sais, juste une fois…

— Ouais, d'accord.

Je me frotte les yeux.

— Salut, Rolly. Bonne chance.

Sortie, côté jardin.

Au coin, je me rappelle les photos de de Leppy, que je suis censée prendre, et j'entends Rolly galoper derrière moi, crier mon nom en soufflant, comme si c'était suffisant pour m'arrêter.

— Cassy, merde, arrête-toi une seconde, tu veux?

Je m'arrête.

— Quoi?

— Je veux juste… Je veux juste pas que tu partes comme ça, en colère contre moi encore une fois, tu comprends?

— D'accord. Je suis pas en colère, Rolly. Mais il faut que je m'en aille.

Il tend la main, que je serre.

— Viens, je te raccompagne, espèce de demeuré.

Il sourit. Nous rebroussons chemin en direction d'entrepôts différents de ceux que nous avons croisés en venant ici, il faut bien que je lui fasse faire un peu de tourisme. Nous parlons des garçons et des filles que nous avons connus autrefois, des gens du quartier, de tout et de rien. Et la question me vient tout naturellement. Pourquoi est-ce que je ne voudrais pas savoir?

— Et que devient Thom? Elle va bien?

J'ai posé la question tranquillement en allumant une cigarette.

Rolly me regarde d'un drôle d'air, et des plis se forment entre ses yeux, à la naissance de son nez.

— Euh, Thom est morte, Cassy. Tu te souviens?

Je secoue la tête dans l'espoir d'y mettre un peu d'ordre. Je ris.

— Oui, évidemment. Je le savais, non?

Ses longs cheveux flottaient sur mon visage, et je respirais le peu que je savais d'elle, la forme de son corps laissait son empreinte sur ma peau. Un plâtre toujours collé à mon corps. Ma main était tiède sur son ventre froid, à l'endroit où il n'y avait désormais plus rien. Elle se demandait s'il aurait eu un visage, le visage de l'homme qui aurait révélé la vérité, le visage de son père à elle, le père du bébé. Pas vu le visage. Il n'en avait peut-être pas.

— Cassy…

Rolly s'arrête, prend mes bras dans ses pattes de singe, m'empêche d'aller plus loin.

— Tu t'en souviens, Cassy, non?

Elle a les yeux fermés comme si elle dormait. Ouais, je m'en souviens, merde. Elle avait tellement insisté pour que j'assiste au « procédé », comme ils disaient. Pas question d'avoir un bébé avec un visage pareil, disait-elle. Y est-elle allée ou le bébé est-il simplement mort en elle, les yeux toujours fermés? Je ne sais pas parce que j'ai oublié, oublié, oublié, je me suis saoulée je suis rentrée chez moi : les loquets de la porte collants les loquets de mes yeux collants les loquets brisés et cligne cligne cligne on est quel jour déjà ? Je me suis saoulée et j'ai baisé avec une fille que je ne connaissais pas je me suis saoulée et j'ai baisé avec Fister je me suis saoulée je me suis réveillée et là je me suis saoulée avec un marin, un vieux vieux monsieur, et je suis rentrée chez moi, c'est comme ça que j'appelais ce trou, chez moi. Je me suis saoulée et j'ai ouvert les loquets et elle était là évidemment je m'en souviens j'aimerais mieux pas mais je m'en souviens. Si on me pose la question je ne me souviens de rien. Et pendant un moment j'ai réussi à le croire.

— Ouais, excuse-moi, je…
Je lève les yeux sur lui, je souris.
— Ça faisait longtemps que j'avais pas pensé à elle, à vous tous… Ça va, je te jure.

Quelle menteuse je fais. Je m'allonge dans ses bras qui refroidissent à l'approche du matin et quand le matin est là je reste encore allongée là sans bouger, immobile, je ne sais pas vraiment ce que je fais. Je ne savais pas vraiment quoi faire. C'est arrivé il y a longtemps, il y a si longtemps. Je me disais que j'avais peut-être tout inventé.

J'éclate de rire.
— Tu sais quoi, Rolly ?

Il secoue la tête.

— Je pense que ça lui aurait plu, tu sais ? Que j'aie oublié.

Il se décrotte les ongles. Puis il passe sa grosse main sur son front, écrase ce qu'il y a là-dedans, dans l'espoir, me semble-t-il, que tout ait un peu plus de sens.

— Ouais, dit-il. Peut-être.

J'ai oublié. Oublié que Thom et moi avions l'habitude de courir les rues sur nos jambes maigres qui lançaient des reflets dorés dans les derniers rayons de soleil de l'année. Oublié que son père la baisait la nuit et c'est pour cette raison qu'elle ne rentrait jamais à la maison. Oublié que, les jours où nous dormions, nous dormions chez moi. À cette époque-là, maman était dans un creux de vague et ne disait jamais rien. Elle ne se rendait pas compte que nous étions là. Elle ne se rendait pas compte non plus que nous n'étions pas là, alors nous sortions tard le soir, nous marchions dans le quartier désert, nous allions dans un magasin qui ne fermait jamais éclairé comme un arbre de Noël et Thom feuilletait des magazines en flirtant avec le caissier et finissait presque toujours par obtenir un paquet de cigarettes (les caissiers de nuit étaient presque toujours des adolescents, l'espèce la plus facile à séduire au monde) tandis que je remplissais les poches de ma canadienne brune tout miteuse (que je portais même les soirs de canicule à cette fin précise) de cartons de crème glacée, de bouteilles de bière, de centaines de bonbons à un cent, de magazines cochons, de capotes, n'importe quoi. Oublié que nous marchions, marchions, marchions, survoltées par le sucre et la nouveauté d'avoir enfin une amie, la drôle de sensation qui vient de la certitude d'être aimée en retour et sans conditions, que nous disions des bêtises et que nous nous moquions de tous ceux qui transformaient nos jours en véritable enfer. Et, ces fois-là, il n'y avait jamais personne d'autre, sauf peut-être un ivrogne sortant d'un bar en titubant, une mère qui entrait au magasin en coup de vent pour acheter du lait maternisé pour son bébé, mais en gros la ville était déserte et il n'y avait que nous. Dans une ville déserte, on peut se permettre de rester tranquille et d'écouter ce bruit lointain, celui du sang qui bat dans un cœur, et quand vous en avez assez vous avez envie de remplir ce vide de mots, de tous les mots que vous n'avez encore jamais prononcés, et dans une ville où il n'y a personne on a toujours l'impression que c'est exactement ce qu'il faut faire, que c'est le seul endroit où le faire. Oublié qu'un soir j'ai dit à Thom que j'allais tuer son père à cause de ce qu'il lui faisait, elle n'avait qu'un mot à dire. J'avais tous les renforts qu'il me fallait. Une vraie siné-cure. Oublié qu'elle n'avait jamais dit : maintenant. Oublié qu'elle n'avait jamais dit : vas-y. Elle m'adressait souvent des sourires tristes, comme si elle savait déjà que tout était terminé quand tout ne faisait que commen-cer, et elle détournait les yeux en souriant d'un air triste, encore plus triste à cause de la joie qu'il y avait en elle, et mettait encore un peu plus de rouge à lèvres, se trémoussait le derrière et allait coucher avec les bons garçons, ceux qui avaient une voiture, de beaux cheveux, de l'argent et une petite amie. Ils étaient inoffensifs, ceux-là, parce qu'ils n'allaient jamais l'aimer. Ceux-là.

Les losers.

Oublié. Comme si j'arriverais un jour à l'oublier, elle.

Mais Rolly est encore là et il me croit complètement cinglée. C'est peut-être une bonne couverture. Et puis, ce qu'il pense de moi… Qu'est-ce que j'en ai à foutre, de toute façon? Qu'il me prenne pour une pauvre folle vivant sur une plage. Tant pis. S'il décide de faire une croix sur moi, peut-être que ça ne le tuera pas de se souvenir de moi, de savoir que j'existe. Merde. Alors je lui souris, et nous parlons de choses et d'autres pendant un moment, je l'interroge sur sa ferme, ses enfants et tout et tout, n'importe quoi pour détourner la conversation de moi. Heureusement, j'ai l'impression qu'il accepterait volontiers de parler chevaux jusqu'à la fin des temps, et l'élevage et les enfants de la rue nous ramènent devant la salle de jeux vidéo.

— Salut, Cassy, dit-il en me tendant la main. Fais attention à toi, hein?

Je prends sa main, il me regarde et me serre contre lui.

— Pas de farce. Fais un peu attention à toi, tu veux? dit-il par-dessus ma tête.

Je me détache de lui.

— Ouais, Rolly. C'est promis. Toi aussi. À la prochaine.

Je le salue de la main à l'instant où il traverse la rue et encore une fois quand il entre dans la salle de jeux où sa progéniture, j'imagine, s'emploie toujours à sauver l'univers. Je traverse à mon tour et je descends les marches de la boutique photos, récupère les clichés de de Leppy. De retour dans la rue, j'entre au magasin d'alcool, où j'achète deux ou trois bières. Je donne un dollar à un vieux type et je décapsule une canette sur le toit de mon auto et je contemple l'horizon en pensant à maman, à Henry et à Thom et aussi, merde, à cette saloperie de Freakboy, que j'ai peut-être aperçu ce matin, mais comment est-ce possible, puis je sens une main se poser sur le bas de mon dos et…

— Merde, Terry, je suis désolée.

— Ça va, ça va, dit-il en se massant le maxillaire. C'est ma faute.

Je cogne mon homme parce que je suis énervée. Bravo.

Ensemble, nous allons au coin, où nous tombons sur de Leppy et Francis. Je donne à de Leppy ses photos que je n'ai même pas regardées, nous les sortons et nous les passons en revue tous les quatre et elles sont bonnes et il prend ma photo

Il prend ma photo,

il a pris

ma photo.

Est-il possible que je voie encore des fantômes ? Comme celui que j'ai aperçu ce matin ?

Et nous rions, ces vieux bonshommes trouvent toujours des raisons de rigoler, c'est vrai, je suppose, et tout est tordant, et certains d'entre nous auraient peut-être intérêt à s'en souvenir puisque, à peine dix minutes plus tard, nous sommes sur le boardwalk, Terry et moi, et il veut savoir si je couche encore avec lui et je me demande de qui il parle. Avec qui suis-je censée coucher, au juste ? Est-ce le deuxième train que la foule voit passer ? On raconte l'histoire du premier auditoire à avoir vu un train filmé. Il fonce sur les spectateurs qui, naturellement, disent leurs prières, se ruent vers la sortie et, des années plus tard, cette anecdote nous fait bien rigoler, à cause de notre foutue sensibilité moderne. Penser qu'ils aient pu croire qu'un vrai train fonçait sur eux, celle-là c'est la meilleure, mais, mon vieux, dès le deuxième train, on reste assis dans la salle et on sait que le train est inoffensif, vu que le dernier l'était, mais si on se trompait et que celui-ci était dangereux pour de vrai ? Un précédent, ce n'est pas nécessairement un absolu, non ? Et si le deuxième train vous rentre dedans ? S'il vous tue ? Je ne pose même pas la question. Pas la peine dans mon cas, le destin a déjà tranché.

Mais là je pose la question parce qu'il ne s'agit ni d'un foutu train ni d'Alex, il s'agit de Terry et de moi.

Là, au bord de la piscine, tuiles turquoises sous les palmiers derrière le vieux motel délabré aux balcons affaissés entourant une cour en béton tout fissuré autrefois peint en vert pour imiter la pelouse, j'imagine.

Je m'assoyais au bord de la piscine et je trempais mes pieds là-dedans, je ne me sentais pas encore prête à aller sous l'eau, à y retourner, et trois vieux types venaient tous les jours et faisaient tourner quelques doigts d'alcool dans des verres en plastique rose en disant à leur femme que c'était du coca, trois vieux types aux seins tout ratatinés, aux mamelons enfouis dans des poils gris, aux cicatrices perdues dans les plis, l'un d'eux soulevait le bras, tirait sa peau dans l'espoir de retrouver ses vieilles blessures de guerre, il haussait les épaules et disait bizarre, c'est pourtant là qu'elles étaient... De toute façon, les garçons, laissez-moi vous raconter l'histoire, et mes jambes bronzées par le soleil de la fin de l'été ici il y a longtemps. C'est là que j'ai habité quand je suis arrivée et partout il y avait la drôle d'odeur des vieux venus mourir parmi les fleurs du sud de la Californie et je regardais mes jambes brunes s'étirer sous l'eau.

J'ai les os tout bosselés.

Avec qui suis-je censée coucher?

Il m'a dit qu'il me casserait les jambes, ça m'empêcherait de courir.

Le gros œil cyclopéen d'un phare fonçant sur moi.

On ne les voit pas, on ne peut que les sentir.

Mais je peux encore courir, traverser la voie ferrée, foutre le camp.

Et on les trouvera un jour, peut-être, on brandira mon tibia, on le fera tourner dans la lumière.

Ce n'est pas le vieux film, celui dans lequel la dame est ligotée sur les rails et a l'air idiote.

Et il n'y a pas de méchant.

Ce spécimen-ci a fait l'objet de violence, dira-t-on avant d'écrire quelques mots au crayon à côté du croquis.

Qui est Henry?

J'espère au moins que le type saura dessiner.

Qui est Henry? demande-t-il. Tu couches avec lui?

J'ai des bosses sur les os de mes jambes brunes elles flottent dans l'eau sous le plein soleil.

Henry le salaud.

Je respire et j'ai dans la bouche un goût de coke, de métal, je respire et j'ai envie de hurler.

Et je m'éloigne parce que je ne sais même pas par où commencer pour lui parler des jambes, des os, des bosses, des vieux types et du soleil qui n'a rien à voir avec rien je ne sais pas comment lui dire je veux t'en parler mais je ne sais pas comment je te dirai tout dès que je saurai mais attends mais je ne sais pas comment alors je fais ce que je sais faire et je m'en vais.

Et je ne regarde pas en arrière parce que je risquerais de ne plus vouloir partir.

C'est une route dont les bras s'étirent à l'infini, ouverts à tout venant. C'est un berceau comparable à la mer, et de fortes vagues surgies de nulle part secouent les bébés, les réveillent, leur montrent qu'ils sont petits, que tout le monde se fout d'eux. C'est une journée idyllique, parfaite. Il n'y a rien ici. Que de la poussière brune qui ondoie, des buissons verts qui se balancent. C'est là que je marche depuis que je suis partie il y a des heures. Depuis que j'ai plaqué Terry, les autres, tout. J'ai vu un point lointain grandir, grandir, grandir, se rapprocher, prendre la forme d'un homme debout immobile sur l'accotement, un petit homme brun avec un grand sac vert, vieux, ratatiné. Je l'ai vu soulever son pouce d'un air méfiant, comme s'il récitait une prière qui, espérait-il, ne serait jamais exaucée. J'ai vu une voiture s'arrêter, le faire monter. Et presque tout de suite l'expulser sans ménagement. À peine si le conducteur a ralenti. Et le petit homme reste là où il a atterri, assis sur le sol, tête baissée, affaissé dirait-on, replié sur lui-même. Je m'arrête, baisse les yeux sur lui.

— Qu'est-ce qui s'est passé?

— J'ai dit non, répond-il sans relever la tête.

Il fixe sur le sol un objet fascinant.

Je me remets à marcher.

Et voici une mesa qui semble tout droit sortie d'un vieux dessin animé, cette teinte d'orange à l'air un peu artificiel née de la terre des environs, au dessus plat, de guingois dans le ciel bleu sans nuages. Je m'assois là un moment, avale une pilule, réfléchis un moment, en avale une autre. Regarde, là d'où je suis venue, du côté bleu, maintenant lointain, puis de l'autre côté, où d'autres collines brunes ne font rien du tout dans la chaleur légère et humide du jour.

Il y a quelque chose en moi qui ne tourne pas rond. Quelque chose. Je marche parce que c'est tout ce que je sais faire. Sans penser, je dresse le pouce, m'anime pour l'étranger là-dedans, pétille, souris. Sans penser, je suis ailleurs. C'est une dame, elle dit qu'elle n'a pas l'habitude de faire monter des gens, mais j'ai l'air d'une fille si gentille. La plaisanterie me fait sourire. Je ris. Elle me dépose parmi d'autres collines brunes, le jour est immobile, parfait. J'ai l'impression de déambuler au milieu d'une photo. Je la remercie, elle me sourit, me salue de la main, sa jolie petite tête dodelinant sur le chemin de la maison où, a-t-elle dit, elle préparera le repas de ses enfants et enverra son mari à une rencontre, un match, je ne sais plus, j'ai déjà oublié.

Devant, il y a une station-service, une enseigne déglinguée, des lettres qui s'effacent dans la lumière du jour, de vieilles pompes toutes rouillées, de la poussière, de l'essence et de la crasse. Un téléphone cloque pareil à un furoncle sur le mur moucheté de blanc. Je marche dans cette direction sans même tendre le pouce, sans même regarder derrière moi pour voir ce qui vient, et une voiture se range à côté de moi, juste pour moi. L'homme ouvre la porte et m'appelle mademoiselle. Je souris, pétille, m'anime. Monte. Et je suis partie.

Quelque part, un téléphone sonne et quelque part Terry répond. Quelque part quelqu'un dit quelque chose de bon, quelque chose qui le fait sourire. Ailleurs, pas ici. Ici, il n'y a que moi, et je fais la seule chose que je sache faire, la seule chose à laquelle je puisse jamais penser. Ici il n'y a que

mon visage pressé contre la vitre de cette voiture minuscule, assise à côté de cet homme volubile et gros comme un bœuf que je ne connais ni d'Ève ni d'Adam, mon cerveau emporté par un cargo opiacé, mon extérieur lustré s'enfonçant dans un espace bête, des tranches figées d'ici et de maintenant perpétuellement en mode *replay*, instants saisis et repris en boucle, venue de je ne sais où la nausée rampe jusqu'à ma gorge, je ne sais même plus être malade. Glissant lentement par tranches luisantes, chaque seconde découpée en éclats d'un homme mort à plat ventre sur un caisson lumineux, éclairé par derrière, petite fenêtre incurvée ouvrant sur le lointain et juste là, ici, à cinq centimètres de mes doigts qui se posent sur l'endroit où dans ma poitrine mon cœur bat sans raison.

Et je n'ai aucune raison de le remarquer, aucune raison de le voir

affalé sur l'accotement poussiéreux, dans la pénombre, tandis que le soleil va mourir de l'autre côté du paradis. Il est là, juste là, l'air écrasé, seul, perdu et triste. Mon cou s'étire à se briser à l'instant où nous le dépassons. Il est immobile et usé par les intempéries, telle une statue couverte de fientes de pigeons, ses yeux plissés, enfoncés dans la graisse, le ramènent chez lui. Je demande au gros homme de faire demi-tour et de me déposer. Je le salue de la main je crois. Puis je marche. Je le suis sur l'accotement, dans les virages les voitures me frôlent et les coups de vent menacent de me jeter du haut de cette corniche de poussière. La mer loin en dessous bat et hurle, ses éclaboussures trop loin pour m'atteindre mais je sens le sel dans ses larmes. Lui marche lentement les mains dans les poches sans jamais lever les yeux, insensible au vent, sans un regard pour le jour moribond, sans une pensée pour le monde extérieur. Je le suis longtemps dans l'obscurité meurtrie, le ciel de la couleur d'un œil au beurre noir ayant désespérément besoin d'une tranche de viande pour guérir. Nous arrivons dans une petite ville, quelque part, nulle part, il y a du vide tout autour, la mer disparaît peu à peu derrière nous au fur et à mesure que nous nous enfonçons dans les terres. Loin devant, là où serait le centre s'il s'agissait d'une ville d'importance, ce qui n'est pas le cas, il n'y a qu'un magasin et un cinéma minuscule, puis deux ou trois fermes au poulailler désaffecté, des chevaux endormis, de la poussière, un renard, ses yeux brillent dans la quasi-obscurité, furtivement il me regarde comme s'il savait exactement ce que je fais là. Je le regarde de la même manière à l'instant où il se faufile derrière un poulailler presque désert. Et puis. Une maison au milieu d'un champ de rien, petite et mignonne comme le tout dernier bateau sur l'eau, autour rien que le vide et le ciel, le genre de maison où habite la petite famille parfaite avant le divorce/l'infi-délité/les monstres extraterrestres/le psychopathe meurtrier/la maladie incurable. Parfaite, vous voyez.

Il se glisse par une minuscule fenêtre. Aucune lumière ne s'allume.

Je reste dehors derrière le petit mur formé par une haie rugueuse, pose mes mains contre le stuc bon mar-ché, celui dans lequel on mélange de petits fragments brillants, lesquels scintillent malgré le noir quasi total, la seule lumière venant d'un lointain lampadaire qui lessive la route en silence. Je reste là longtemps.

Puis de la musique jaillit par la petite fenêtre, un air triste et délicat, joué sur un piano par de vraies mains. Difficile de croire qu'il suffit de dix doigts pour jouer comme ça. J'entre à mon tour par la fenêtre.

Dans une salle de bains, toute petite boîte, sur le mur des portraits souriants, un couple, lui apparem-ment, et une femme que je ne connais pas, devant des châteaux en plastique roses et des fontaines étince-lantes. Dans le couloir, au sol recouvert d'une moquette d'un ton de crème à la fois doux et profond, mes pieds s'enlisent. Que des babioles, des souvenirs rapportés de lieux où personne n'a jamais habité, des parcs théma-tiques, des centres de villégiature, des centres commer-ciaux. De vieux meubles, cependant, et le son creux d'une musique ancienne. C'est comme si les confins du monde claquaient contre un cerveau et finissaient par produire quelque chose de vrai, de parfait et de totale-ment inhumain, le son du commencement peut-être, et peut-être aussi celui de la fin.

Freakboy joue du piano dans la quasi-obscurité.

Il regarde vers moi, son crâne presque chauve luisant dans le halo de lumière que diffuse la lampe en laiton posée sur le crapaud, douce et vivante dirait-on, même que c'est la seule chose vivante dans ce lieu plastifié. Il soulève sa grosse tête des touches du piano. Il sourit. Pendant un moment, rien ne se passe, c'est comme s'il était parti ailleurs. Le sourire reste accroché à ses lèvres, il a le regard flou. Un petit mouvement de la tête, un clignement d'yeux et il est de retour.

— Eh bien, dit-il en me regardant.

Son regard s'affûte. Il hésite encore un moment.

— Comment as-tu deviné que c'était moi? demande-t-il enfin.

Pour une raison que j'ignore, j'ai tenté de le faire venir à moi, celui qui, d'une certaine façon, avait joué un rôle si important dans ma vie, qui n'était simplement pas. Là. Maman gardait ses lotions, ses rouleaux, ses parfums et ses poudres sur sa vanité, faite d'aggloméré bon marché peint d'un blanc lustré qui semblait toujours briller, comme s'il y avait eu une lumière à l'intérieur. À côté de ses jolies babioles, il y avait un petit éventail de choses dont elle voulait se souvenir, ficelées, suspendues à une corde, les plus importantes enfermées dans de petits coffres, les plus difficiles à trouver, les plus difficiles à se rappeler.

Elle était sortie. Je suis allée dans sa chambre, qui était bien rangée, maman était toujours très propre quand elle était heureuse. Sinon, c'était n'importe quoi. Mais. Dans la pièce impeccable, cette fois-là, mes petites mains ont pressé contre mon nez des choses qui sentaient fort, touché tous ces objets qui, d'une certaine façon, étaient plus que la somme d'elle, des fragments dont il me semblait parfois qu'elle était faite. Elle me l'avait montrée un jour, la photo d'un homme mince à l'air arrogant, sûr de lui, dont le petit cul serré s'appuyait sur une Thunderbird bleue aux lignes pures, un bras passé autour de maman, son autre main tenant une cigarette et une bouteille de bière. Le portrait d'un homme comblé.

Je l'ai trouvée dans une petite boîte en forme de sac à main faite d'une coquille de palourde à l'armature et au fermoir en métal doré. Il y avait beaucoup d'autres photos, beaucoup d'autres types à l'air comblé, tous souriants aux côtés de maman qui s'abandonnait, et son sourire à elle suffisait à vous faire croire que les photos disaient vrai, qu'elle n'avait peut-être jamais été heureuse très longtemps, mais qu'elle avait trouvé assez de bonheur pour meubler le déclic de tous ces obturateurs, au moins assez pour faire de ces infimes secondes un vrai paradis.

Je ne savais pas lequel était le mien. J'ai choisi celui-là parce que c'était celui que je voulais.

Il n'est jamais venu, cependant. Je m'étais peut-être trompée. À moins qu'un amas de cendres scellé dans un album de photos abandonné n'ait pas été le talisman puissant que j'étais certaine d'y avoir trouvé.

Ou encore, et c'est le genre de choses que je ne

dirais à personne, jamais, parce que c'est le genre de détails idiots que personne ne doit connaître à mon sujet, à peine si je me les avoue à moi-même, mais peut-être, peut-être va-t-il venir un jour, surgir au coin de la rue. On ne sait jamais.

À la fin, j'ai eu besoin de quelque chose de réel, quelque chose de plus qu'un instantané flou dans ma tête, un paysage brunâtre, des corps meurtris et cloqués cherchant, avides, une forme de sécurité dans les bras l'un de l'autre, des bras d'une maigreur épouvantable se refermant uniquement sur la nostalgie, la confusion, la perte. Alors j'y suis allée.

Nous étions derrière le brasero, là où il y avait la benne à ordures. L'école venait de finir, presque tout le monde était parti. Je l'ai trouvé par terre, tout recroquevillé, caché. Il pleurait. J'ai caressé sa joue, je lui ai demandé ce qui n'allait pas.

— Je sais pas, a-t-il répondu. Rien. Tout.

C'était comme si je n'étais jamais partie, comme s'il n'était jamais parti, alors nous avons acheté une bouteille et nous l'avons descendue dans une ruelle avant de marcher dans les rues transversales, l'alcool faisait sentir ses effets, nous réchauffait. Le soleil baissait, allongeait nos ombres sur le béton craquelé et sale du trottoir. Nous ne disions rien. Nous sommes entrés dans un parc, nous avons marché jusqu'à un de nos arbres préférés, celui qui avait été témoin d'un grand nombre de nos rêves stupides, celui contre lequel nous nous appuyions pour nous étirer, rêver à haute voix, rêvant les rêves que les jeunes rêvent inévitablement, les bons jours. Gloire, fortune, bonheur, amour. Ceux-là. Ceux qui allaient forcément se réaliser simplement parce que nous les avions rêvés. Juste parce que. J'ai sauté sur le dossier d'un banc proche de l'arbre, puis j'ai grimpé, toujours plus haut, jusqu'à une branche assez grande pour nous accueillir tous les deux. Je me suis perchée là et j'ai allumé deux cigarettes. Jesse m'a suivie, s'est assis tout près de moi, sans me toucher. Ses cheveux foncés, mal peignés et tout raides tombaient sur ses yeux de loup, bleu pâle, presque blancs.

— Merci, a-t-il dit en acceptant la cigarette que je lui tendais.

Il a contemplé le sol, ses yeux blancs voilés, les longs doigts d'une de ses mains posés sur l'arbre, ceux de l'autre tenant la cigarette. Nous avons fait balancer nos jambes comme des enfants. Toujours sans rien dire. Nos cigarettes terminées, nous les avons lancées par terre. On aurait dit de petites boules de feu jetées dans l'ombre nouvelle. J'avais envie de pisser, alors je me suis laissée tomber. Même que j'ai été aux toilettes, les vraies, structure de briques beige à l'intérieur jaune, au violent éclairage fluorescent. Après mon pipi, j'ai ouvert la porte de la cabine et Jesse était là. Nous nous sommes regardés.

— Salut, a-t-il dit.

— Salut, Jesse.

Pendant un long moment, il a regardé partout sauf dans ma direction. J'ai repoussé mes cheveux derrière mes oreilles, puis j'ai mis les mains dans mes poches et j'ai tripoté les déchets qui s'y trouvaient.

Nous ne nous étions pas vus depuis plus d'un an. Ses cheveux avaient repoussé, mais je voyais qu'on les avait rasés. D'un point qui disparaissait dans sa tignasse jusqu'à son oreille, s'étalait une grosse cicatrice blanche. Il était encore plus maigre et plus blême qu'avant. Moi aussi, j'imagine.

— Où t'étais? a-t-il demandé en contemplant les carreaux entre ses pieds.

Du bout de sa chaussure crasseuse, il grattait la ligne de coulis.

— Nulle part, ai-je répondu. J'ai pas bougé d'ici.

Il a hésité un moment, fait passer sa main pâle et fluette dans ses cheveux en désordre.

— Il y a quelque chose qui cloche avec moi, Cassy, a-t-il dit à l'intention du sol.

— Je sais, mon chou.

Appuyée contre le mur, j'ai frotté mes yeux.

— Je suis pas normale, moi non plus.

Il y a encore eu un long silence. J'ai allumé deux cigarettes et je lui en ai tendu une. Il m'a regardée pendant un moment, m'a gratifiée d'un regard à la Jesse, typique, à la fois rusé et timide et indiciblement doux, puis il a détourné les yeux.

— Je me suis ennuyé de toi, a-t-il dit en s'attaquant de nouveau au coulis.

Je lui ai souri. Il a levé les yeux et m'a adressé un autre sourire penaud. J'ai ri et je l'ai agrippé par le manteau.

— Viens ici, imbécile.

Je l'ai attiré vers moi et soudain tout s'est arrangé,

nos deux petits corps se sont soudés sous cette lumière dégoûtante. Jamais de toute éternité nous n'en avions espéré autant.

J'ai les jambes longues et solides, et elles peuvent me conduire à peu près n'importe où. Mes yeux fonctionnent bien. Ni trop gros, ce qui m'évite d'être accablée par ce qu'ils voient, ni si petits que je risquerais de rater des choses. Ils sont perçants, forts. Mes bras sont longs, eux aussi, assez longs pour envelopper, assez longs pour repousser. De loin, j'ai de l'allure, je crois, plutôt sûre de moi, plutôt cohérente, comme si tout était plus ou moins en état de fonctionner. Comme une constellation. Vues d'ici, les constellations ont l'air bien, elles ont l'air d'avoir un sens, mais c'est faux. Elles se composent d'étoiles situées à des centaines de millions d'années-lumière l'une de l'autre. Elles ignorent jusqu'à l'existence les unes des autres ; elles ignorent que, sur un froid amoncellement de pierres, des petits bonshommes spongieux les ont réunies dans un même corps et s'attendent à ce qu'elles obéissent à des lois. Mais nous nous servons d'elles pour naviguer, du moins de leur apparence, et elles nous semblent plutôt solides, plutôt stables, vraies, fiables. Ce qui montre bien que nous, les petits bonhommes spongieux, sommes prêts à croire n'importe quoi, vous voyez ?

Je ne comprends rien à ce que raconte Freakboy, mais je décide de bluffer.

— Pas vraiment, dis-je en haussant les épaules. Je me suis dit que j'allais essayer.

Je ris. Puis je continue :

— Mais c'est pas exactement la subtilité qui t'étouffe, mon pote.

Il sourit, incline la tête, hausse légèrement les épaules. Il se dirige vers le mur, tourne un variateur, et la pièce se précise, comme si, soudain, je reprenais connaissance. Et je regarde autour de moi, et je vois des photos de moi partout, sur tous les murs. Il y en a de toutes les tailles, certaines en couleur, d'autres en noir et blanc. Quelques-unes ont été prises de loin, puis agrandies ; d'autres ont clairement été prises de près, derrière moi dans l'autobus, par exemple, de la table voisine, au bar, de l'autre côté de la rue. Des photos de moi en compagnie de types dont j'ai oublié le nom, des photos de moi avec les cheveux longs et foncés, des photos de moi avec les cheveux blonds et courts, des coupes carrées rouge vif, des casques broussailleux, aux couleurs ratées. Des photos de moi et de Thom. De moi et de Jesse. De moi et d'Alex. De moi et de Terry. Je laisse échapper un sifflement bas.

— Je me trompe peut-être, remarque. Doux Jésus. Depuis combien de temps tu fais ça, au juste ?

Je flippe, je suis abasourdie. À quoi est-ce qu'il joue, ce type ? Depuis des lustres, par-dessus le marché.

Il sourit de nouveau, parcourt la pièce des yeux, comme s'il se remémorait avec attendrissement des souvenirs consignés dans une sorte d'album de photos tordu.

— Ah…

Il sort de sa rêverie, me regarde.

— Excuse-moi. Des années, Cassy. De nombreuses années de ma vie. Autrefois, j'étais d'ailleurs généreusement récompensé.

— Cassy, avait-il coutume de dire, pourquoi tu ne viendrais pas faire un bisou à ton papa?

Depuis des années, depuis que j'ai descendu la côte, je reçois des lettres, des lettres que je n'ai ni décachetées ni jetées parce que, de toute façon, je n'aurais pas su où les mettre, des lettres qui ne m'auraient rien dit, jamais de la vie, qui n'auraient jamais eu le moindre sens, merde, car c'est impossible, non?

— Tu veux dire qu'on te paie pour ça?

Du regard, je cherche un endroit qui ne soit pas placardé à mon effigie.

Freakboy secoue la tête d'un air un peu mélancolique.

— Non, non, plus maintenant. Tu as peut-être remarqué qu'il a cessé de te donner de ses nouvelles, ces derniers temps.

Je me dirigeais vers la porte et il se rapprochait, c'était quand déjà, c'était il y a si longtemps que ce n'est peut-être jamais arrivé, se rapprochait pour que maman n'entende rien.

— Sauve-toi et je vais te retrouver, Cassy, où que tu ailles. Tu ouvres ta gueule et je vais le savoir, tu m'entends, Cassy? Écoute-moi bien. Je vais te retrouver, peu importe où tu iras, je vais te retrouver. Ne l'oublie jamais.

Putain de bordel de pompe à merde.

J'ignore ce qui va sortir de ma bouche si je l'ouvre. Si j'essaie de formuler un mot, il va prendre une autre forme, se mettre à cracher du feu, quelque chose de lourd, de vieux et de sombre. Si je lâche le mot, quelque chose de gros va surgir, quelque chose d'horrible va se produire.

— Henry.

Ai-je prononcé le mot? L'a-t-il prononcé pour moi?

— Henry, oui. C'est curieux, non?

Il se lève du banc du piano au prix d'un effort considérable, les mains en appui sur les genoux. Il me jette un regard oblique.

— Surtout que, si j'ai bien compris, vous n'avez jamais été dans les meilleurs termes, lui et toi.

Il a claqué la porte sur mes doigts, a écrasé le lit de mes ongles. D'expérience, je savais qu'ils allaient virer au bleu, puis au noir, et après les ongles allaient tomber, mais là, à ce moment précis, je n'ai pas eu mal parce qu'il me serrait à la gorge et que trop d'autres détails m'occupaient l'esprit. Il soufflait dans mon oreille, c'est ce que tu voulais, hein, petite salope, et quand je lui ai donné un coup de genou entre les jambes il m'a cogné la tête contre le mur. Et il y avait des tas de petits drames en un acte que nous nous jouions, lui, maman et moi, toutes ces soirées et toutes ces conversations au sujet de la haine, et toujours il était là, Henry qui me rattrapait, Henry qui me disait quelle fille merdique j'étais.

J'ai des bosses sur les os de mes jambes brunes elles flottent dans l'eau sous le plein soleil.

— Petite salope de merde.

Je ris, mal à l'aise.
— On peut dire ça, ouais.
Il palpe son sein gauche, promène ses yeux autour de la pièce.
— Tu seras peut-être étonnée d'apprendre que ce n'est pas Henry qui a retenu mes services le premier.

Et les coups de fil et les larmes et elle me raccroche au nez encore, encore et encore et la longueur des bras qui lui ont poussé à lui et la distance qu'ils ont créée entre elle et moi.

Je suis bien ici, merci, à condition de ne pas bouger, je suis bien, laissez-moi ici, s'il vous plaît. Et ils sont là, ensemble, tous, et ils me veulent quelque chose, leurs mains me touchent, me touchent toute, me touchent partout, à des endroits dont j'ignorais même l'existence, chaque partie de moi touchée par quelque chose à propos de tout ceci, à propos de tous ces visages, on dirait qu'ils ne savent pas, eux non plus, qu'ils ne savent tout simplement pas, jamais, et tous, avec toutes leurs mains, et leur désir, leur désir de toucher. Me toucher moi. Et moi qui veux quelque chose d'eux aussi, quoi, quand, pourquoi. Je ne sais pas, je ne sais pas, et peut-être que je ne le saurai jamais. Et puis ils sont partis, juste comme ça. Et malgré tout ma tête brûle, ma gorge pique, et ces jolies petites chansons à boire me parviennent du bar. Là-bas, pas très loin. Six pieds, mettons, plus bas. Du brouillard. Et du flou dans la tête.

Pire que la haine même, ces regards dans ses yeux à elle.

Pires que ces mains sur mon corps alors qu'elle n'en savait rien.

Pire que le néant de son silence.

Impossible, non ?

— Maman ?

J'ai tant bien que mal réussi à balbutier le mot. Freakboy se dirige vers un buffet au-dessus duquel trône un gros plan de mon visage, agrandissement d'une toute petite photo : la résolution est nulle et je me dissous dans la rue, les lumières, l'ombre, fragments de moi traversant l'espace en noir et blanc. Il verse un doigt d'un scotch hors de prix dans un verre, trois dans un autre. C'est celui-là qu'il me tend sans le moindre commentaire. Nous sommes tous les deux au courant, je suppose : je réfléchis mieux quand les rouages sont lubrifiés. Il porte un toast muet en soulevant son verre. J'hésite, je hausse les épaules, puis je lui rends la politesse. Il s'agit après tout d'un scotch d'exception. Il hoche la tête. Je descends le tiers de mon verre.

— Ta mère, oui. Elle m'a téléphoné peu après ta disparition. Elle se faisait beaucoup de souci pour ton bien-être.

Je pousse un rire aigu, crispé, assorti de syllabes aboyées.

— Pardon ?

Il a l'air surpris.

— Évidemment. Sa fille unique disparaît. Elle était inquiète, forcément.

Je ris plus fort.

— Non, mon vieux. C'est elle qui m'a foutue à la porte !

Il marque une pause. Il louche, ce qui fait ressortir les bourrelets de chair autour de ses yeux. Il soupire.

— Oui, je sais.

Il se penche, pose son verre sur la table à côté d'une pile de photos, qui glissent et s'éparpillent. Moi et Owen montrant notre cul à un policier pendant le défilé de la gay pride, moi en train de griller une cigarette, moi sur le toit de ma voiture, moi en train d'embrasser Terry, moi et Joseph qui me tend une minuscule voiture métallique. Moi de profil, moi de loin, du bout de la rue j'imagine, moi qui pousse la porte de l'hôtel.

— Après celle-là, j'ai eu du mal à te retrouver, dit-il en désignant du menton la photo que je fixe toujours.

Je distingue notre fenêtre au-dessus de ma tête, toute sale, entrouverte, le bout d'un rideau dégueulasse s'infiltrant par l'ouverture, cherchant à s'enfuir, je parie.

Il glousse.

— Pour un peu, j'aurais cru que tu m'avais repéré.

J'ai peur de vomir. C'est trop, beaucoup trop. Freakboy se tapote le sein gauche, palpe la bosse sur laquelle il veille depuis des lustres.

— Je pense que ta disparition a eu sur elle un effet décisif. Elle a beaucoup insisté… pour que je te retrouve, dit-il en écartant sa main.

Il cligne des yeux. Je siffle le reste du scotch hors de prix.

Thom. Jesse. Maman. Henry. Terry, même, quelque part là-dedans, dans ce… dans mon fouillis. Merde.

— Ce que t'as fait, de toute évidence. Et après ?

Qu'est-ce qui s'est passé? T'étais à ses funérailles, merde?

Mes mains tremblent, la pile de photos que je tiens tremble, les têtes en modèle réduit de personnes depuis longtemps disparues tremblent, on a presque l'impression qu'elles rient. Ou encore qu'elles pleurent. C'est dur à dire.

D'un air coupable, ses yeux se portent malgré lui vers une photo encadrée posée sur le piano. Je me lève pour voir. Moi et maman assises à une table de pique-nique, au milieu d'un jardin, deux ou trois autres patients en train de fumer en arrière-plan. Je fais face à maman et ma main se tend vers la sienne. Elle est tournée vers l'objectif, on dirait presque qu'elle pose, mais ses yeux sont vides, et elle regarde tout sauf moi. Pendant un instant, tout s'arrête.

Encore.

Comme la première fois, quand elle était partie, juste partie, et que personne ne savait où elle était allée.

Après, tout s'est en quelque sorte arrêté. Mon cerveau s'est arrêté, même le bourdonnement blanc avait disparu. Mon cœur s'est arrêté de battre, du moins c'est ce qu'il m'a semblé, et le boum boum boum rassurant était parti ailleurs plus loin, il battait ailleurs qu'en moi et la plupart du temps j'avais le sentiment que mes yeux ne voyaient pas grand-chose. Une sorte de peau avait poussé sur moi, couche protectrice qui menaçait désormais de m'écraser sous son poids. Quand je sortais, tout me semblait immobile. Une force me propulsait dans le monde, activait mes jambes friables, me prenait par la main et me guidait, alors peut-être que je ne mourrais pas à mon tour, peut-être que j'aurais assez d'argent pour manger ou trouver quelque part quelqu'un que je connaissais et qui me donnerait quelque chose, n'importe quoi, assez pour tenir une journée de plus. Sans savoir comment je parcourais ces scènes figées où tous ceux que je croisais restaient immobiles, blottis dans les bras l'un de l'autre, sous une lumière venue d'un lieu propre et paradisiaque, lumière blanche idéale que réfléchissaient leurs visages limpides et ouverts, leurs dents d'une blancheur aveuglante, leurs cœurs heureux sous leurs peaux parfaites et heureuses, leurs visages face à face en prévision d'un baiser, un sourire plastique plaqué sur les lèvres, leurs projets heureux en suspens pendant un instant, juste au moment où je passais, figés, gelés, attendant que je sois passée avant de se ranimer, tout est mort, rien ne va nulle part, le monde s'est arrêté tout à coup, peut-être parce que j'ai cessé d'y croire, peut-être parce qu'il n'a jamais tenté de croire en moi. Dans leur monde, rien n'exige d'efforts, leur monde avance sans même qu'ils lèvent le petit doigt, les choses bougent, et ils réussissent à faire bouger les choses, vu que c'est pour eux que le monde a été conçu, que c'est d'eux qu'il se soucie, ils n'ont qu'à dire sortons manger mon chou et après nous irons au cinéma et nous fumerons peut-être un joint et nous irons au parc observer les canards et après je serai millionnaire et tu porteras des robes de rêve et nous recevrons des amis dans notre maison extraordinaire et nous baiserons jusqu'à plus soif et ensuite je t'achèterai une voiture et nous dirons c'est ça l'amour, d'accord ? Ce qu'ils ne savaient pas ou ce dont ils se foutaient peut-être, c'est que nous n'étions pas très nombreux à sortir vivants de ces longues années dorées.

— Tu lui as rien dit à elle, hein ? T'as rien dit non plus à Henry ? Avant qu'elle meure, quand j'aurais peut-être pu faire quelque chose, t'as jamais cherché à entrer en communication avec moi, espèce d'enculé.

Il soupire, prend une infime gorgée d'alcool. Il n'a presque rien bu.

— J'ai fait un choix, Cassy. J'essayais de te protéger.

Je pose mon verre avec fracas, prête à foutre le camp. Me protéger ? Qu'est-ce que ça veut dire, au juste ? J'ai presque le temps de crier les mots, mais je suis prise de vitesse par l'effondrement d'une autre pile de photos, que mon poing a fait tomber. Moi, Fister, Leila et Pig agglutinés devant la porte du refuge, attendant sous la pluie que Rooster nous ouvre, moi martelant la porte, Fister juste derrière moi, penché, me mordillant l'oreille. Moi et Thom échangeant un baiser furtif. Elle est assise sur la chaussée, devant la pizzeria merdique. Nous sourions toutes les deux, nos mains se tendent, tandis que Fister, à l'arrière-plan, crie quelque chose à quelqu'un, sous l'œil des passants. Moi et un vieux marin entrant dans un bar minable ouvert dès le matin.

— C'est…

Je repasse les photos, elles sont dans le désordre, certaines appartiennent à une autre époque, mais en gros il s'agit de « la nuit où j'ai fait faux bond à Thom… de la nuit où elle est morte… » Mes lèvres sur celles de Thom, ma bouche qui dit je t'aime. Mon entrée au refuge, pétée et distraite, ayant oublié où elle était et ce qu'elle faisait. Je cesse de regarder les photos, je lève les yeux sur Freakboy, qui me regarde, sans doute rongé par l'envie de prendre son appareil.

— T'étais là… dis-je. T'as tout vu. Tu savais que j'avais oublié, que je foutais tout en l'air. Et tu m'as laissée faire. T'es juste resté là à regarder ?

La photo, celle d'avant. Je la sors de la pile. Moi marchant vers l'hôtel, tard l'après-midi. Thom était là-haut, je reconnais notre fenêtre, à l'étage, du côté gauche. Elle était déjà là.

— Et t'as rien dit ? Rien du tout ?

Il détourne les yeux, les pose sur une autre image de moi, un autre moment de moi figé à son profit. Il hausse les épaules. Il hausse les épaules, le salaud.

— Je ne sais pas, Cassy, j'étais… Je voulais juste voir ce qui allait arriver ensuite.

En moi quelque chose éclate. Comme si j'étais un personnage de fiction, un foutu personnage de roman.

— La suite ? Elle est morte, enculé. Elle est morte et je sais même pas ce qui est arrivé sauf que je me sens coupable, je me suis toujours sentie coupable, elle est morte et t'as rien fait. Tu l'as laissée mourir, tu m'as laissée traîner, fuir, tu m'as laissée tout gâcher jusqu'à la fin de mes jours, et t'as rien dit parce que tu voulais voir ce qui allait arriver ensuite ? T'es malade, mon pote. Gravement malade.

Il y avait un verrou sur la porte, la petite qui se trouvait sous la cage d'escalier, recouverte d'une couche de peinture saumon bon marché, juste barbouillée sur du blanc de chaux, toute craquelée à cause de la chaleur et de l'humidité des longs étés d'avant mon temps.

C'était avant que nous connaissions leurs noms. Aucune importance, car ils ne restaient jamais longtemps.

Le verrou était à l'extérieur de la porte.

Il ne fonctionnait pas, mais ils ne s'en sont jamais rendu compte. Le bon, celui qu'on pouvait tirer, il était à l'intérieur.

C'est moi qui l'ai mis là.

Je fais la seule chose à laquelle je puisse penser, avant même d'y penser.

La lumière entrait à flots, en vagues rouges et bleues, vacillantes, indiquant aux voitures de passage dont les occupants s'en foutaient qu'il y avait la télé en couleurs et une piscine et j'entendais des gens les bars fermaient les types rentraient chez eux

pour baiser leur femme et se mettre au lit

ma peau tiédie de l'intérieur à cause du soleil que j'avais emmagasiné toute la journée au bord de la piscine à écouter les vieux parler de vieilles guerres qu'ils n'arrivaient même plus à se rappeler, rien que des histoires, rien que des choses à dire en faisant tourner des glaçons à moitié fondus tourner et tourner et tourner encore

Je cours jusqu'à la porte, je tire, tire, tire

la foutue engeance refuse de s'ouvrir à cause de la peinture.

J'ai pris quelques pilules et je les ai fait descendre avec une gorgée de whisky.

Au travail, je me suis lavé la tête dans l'évier. Debout sur la balance géante, celle qui est détraquée et plus haute que nous, même en talons hauts, des pièces pourries dont plus personne ne savait se servir rouillaient un peu partout. Je me suis regardée dans le miroir de son gros visage rond, derrière le cadran figé à 0, l'aiguille perpétuellement immobile, le cadran pareil au visage d'une sorte d'ami. J'ai tiré la langue. Puis j'ai flatté l'appareil défectueux et je suis partie.

L'endroit était fermé et la lumière de la salle de bains ne traçait qu'une ligne étroite. C'est elle qui m'a guidée jusqu'au bar. Terry sortait. Il m'a demandé où j'allais. Je sais pas, lui ai-je répondu. J'ai l'impression de me décomposer. Ça, je ne l'ai pas dit. T'as envie de compagnie? a-t-il demandé. J'ai ri. D'accord, ai-je dit. D'accord.

Nous nous sommes dirigés vers un comptoir qui, dans une ruelle, vend des fish and chips dans des cornets en papier journal. J'ai avalé quelques frites et toute la sauce tartare. Terry m'a dit de manger. J'ai sorti une bouteille de ma poche, je l'ai secouée à la de Leppy, j'ai pris une gorgée, puis j'ai haussé les épaules.

Dans une autre ruelle, nous avons acheté quelques bouteilles et, après avoir grimpé dans l'escalier de secours d'inconnus, nous nous sommes installés sur leur toit. Nous avons bu. Nous avons parlé. Nous avons lancé des bouteilles du haut du toit et nous avons ri. Il faut que j'aille dans un endroit bruyant, ai-je déclaré. Viens si tu veux. Je te laisse décider.

À l'intérieur, il y avait un agglutinement de corps, couverts de sueur et défoncés. Pas beaucoup de lumière. Pas beaucoup de grand-chose, à vrai dire, sauf du bruit et des gens et le bruit que les gens font. Il m'a suffi de quelques minutes pour me perdre, en sécurité au cœur d'un monde trop grand et trop bête pour comprendre. Vues d'ici, les choses étaient belles, lointaines. J'ai dansé malgré la musique que je n'aimais pas. J'ai bu à même une bouteille en plastique et ce n'était pas de l'eau. Rares pourtant étaient ceux qui buvaient, les médicaments autoadministrés excluant l'alcool. Un gros homme m'a arraché la bouteille des mains et a bu. Il s'est penché et a plaqué son visage contre le mien en me serrant contre lui de ses grosses mains. Je l'ai giflé au moment où le baiser prenait fin en lui disant de ne jamais au grand jamais toucher à ma bibine sans permission. Il a ri sans m'avoir entendue, m'a embrassée de nouveau.

Plus tard, dans les toilettes, deux travestis partageaient une cigarette assis sur le comptoir pour ne pas avoir à toucher le sol, que recouvraient au moins cinq centimètres de pisse. Au moment où j'ai repris connaissance, quelqu'un me baisait par-derrière, je ne voyais pas son visage, pas moyen de savoir si je le connaissais ou non. Je me suis retournée en prenant appui sur le mur. Je ne connaissais pas cette personne. Ce n'était même pas le type de tout à l'heure, que je ne connaissais pas non plus. Pas de porte dans la cabine d'où je suis sortie en titubant. Qu'un cadre jaune pipi, gauchi, et d'un côté un verrou pété depuis longtemps. Le type que je ne connaissais pas m'a traitée de salope, m'a ordonné de revenir et de finir ce que j'avais commencé. Je lui ai suggéré de finir tout seul vu que je ne me souvenais pas d'avoir commencé quoi que ce soit, puis j'ai remonté les vêtements qui me restaient et, après avoir demandé du feu aux travestis, j'ai filé.

Dehors, personne ne m'a suivie. J'ai déboulé les escaliers en bousculant des gens sans les voir, je les ai juste poussés, j'ai sauté, je suis sortie. Ils ne m'ont pas bousculée en retour. Salope.

Dans la rue, rien. Une voiture est passée à vive allure, sifflant dans la pluie qui avait dû se mettre à tomber entre-temps, mais peut-être qu'il pleuvait avant, aucune idée. Au passage, elle a soulevé une petite vague dans le caniveau, en équilibre sur la crête, un dépliant annonçant une autre fête. Des entrepôts en briques éviscérés, recouverts d'affiches lustrées, un panneau publicitaire dont personne n'avait voulu, tableau nu encore illuminé qui projetait des ombres muettes sur le terrain vague parsemé de flaques. Des putes se sont dirigées vers le café ouvert vingt-quatre heures à deux pâtés de maisons, celui où il y a une liste des mauvais clients scotchée à la caisse. Personne d'autre. Alors je suis partie.

Un peu plus loin, une silhouette dans la rue. Terry. Assis au bord du trottoir, il fumait une cigarette. Il n'a rien dit. Il a juste pris ma main dans la sienne et nous nous sommes mis à marcher.

Et je suis debout devant la porte de Freakboy qui refuse de s'ouvrir à cause de la peinture qui colle, ma main toujours sur la poignée, même si elle a fini de tirer, fini de crier, fini, fini, fini

et dans ma tête il y a un étang gelé. Il y a ce vide blanc où mon souffle à froid prend forme, s'éloigne en coussins rebondis qui ressemblent à des nuages heureux. Se gonflent au-dessus de rien. Du coin de la pièce, Freakboy m'observe. Je pense que rien ne s'est passé ici depuis longtemps.

— Tu le sais, hein, mon chou? Qu'un de ces quatre, tu vas devoir te confier à quelqu'un?

Owen était recroquevillé sur une pile de fourrures, les pieds repliés sous lui. Un matin bleu. Des lignes de coke sur la table.

Il y des poissons rouges en suspension, prisonniers au milieu d'un cercle. Un frémissement d'ailes au coin de mon œil. Une lumière lente, sans chaleur.

J'ai fait oui, lentement. Un gyroscope caché gardait ma tête en équilibre.

— Pauvre chérie…

À petits pas, Owen s'est avancé vers moi. J'étais assise dans un nid de soieries et de plumes. Il tend les mains, prend les miennes.

— Nous sommes amis depuis longtemps, pas vrai?

Hochements de tête répétés.

À genoux, il m'a serrée contre lui, s'est adressé à ma peau.

Je cligne des yeux. L'étang gelé s'incline, dévoile l'endroit où je me trouve maintenant. Dans une pièce en compagnie de Freakboy. Si immobile, là où il est assis, qu'il pourrait être mort.

Je lâche la poigné, m'avance vers lui.

— Pas forcément à moi, ce n'est pas du tout ce que je veux dire, mais, ma chérie, mon trésor, tu es en train de te tuer, et même moi je ne sais pas pourquoi.

D'un seul geste lent, Freakboy porte la main à sa poche de poitrine. La gauche. Je m'arrête là où je suis, à trois pas de lui.

Je l'ai serré très fort dans mes bras. Nous n'avons rien dit pendant un moment. Les deux lignes sont restées sur la table, et le soleil s'est levé sans nous.

Freakboy interrompt son geste, lève les mains, rien dans les manches, regarde. Je croise mes bras sur ma poitrine.

De la poche qui couvre son sein gauche, il tire une enveloppe, me la tend.

Je m'avance, la prends dans mes mains. Elle a l'épaisseur d'un livre de poche à deux sous. Elle est en papier kraft, et du ruban gommé tout jauni renforce les coins. Au milieu, une bosse. Rien d'écrit dessus.

Freakboy laisse échapper un long soupir sifflant. On dirait qu'il a dans la poitrine des objets mouillés qui font un bruit de ferraille. Je n'avais pas remarqué, mais il faut dire que je n'ai jamais été près de lui. Il sent les vitamines et pour la première fois je me demande comment il s'appelle.

— Qu'est-ce que c'est? C'est ça que tu trimballais, tout ce temps-là?

Il me regarde, un éclair dans les yeux.

— Oui.

Il hésite.

— Tu avais remarqué, ajoute-t-il.

On dirait un gazouillis tiède.

— Je me disais que je devrais peut-être un jour donner ton signalement à la police.

Freakboy porte les mains à son visage.

— Je n'ai pas fait ce qu'il fallait, Cassy, peut-être jamais…

Je secoue la tête.

— Je plaisantais, euh… en quelque sorte…

Il baisse ses mains tremblantes, les pose sur ses genoux, serre.

— Je l'ai bien mérité. Que tu plaisantes ou non.

Je retourne le paquet entre mes doigts, touche le vieux ruban qui s'effrite, se décolle par endroits. Je glisse l'index sous les bulles sèches, tire.

Il m'a conduite chez lui, m'a mise au lit. Il m'a embrassée sur le front, m'a remonté les draps propres jusqu'au menton.

— Pourquoi t'es si gentil avec moi? ai-je bredouillé dans les vapeurs de l'alcool. Tu me connais même pas.

Terry s'est immobilisé, la main sur l'interrupteur.

— Je sais pas, a-t-il dit à la pièce voisine autant qu'à moi. Peut-être parce que j'ai envie que ça change.

À la sortie de l'hôpital. Dans la voiture, elle ne m'a pas adressé la parole. Elle a fait jouer la même cassette en boucle. *Fever, you give me fever.*

Dans les montagnes, sur des routes en lacet, la neige s'infiltrait par la lunette arrière fissurée, voltigeait lentement, fondait avant de me toucher. Il y avait des boîtes dans la voiture, de vieilles valises miteuses, le coffre couleur de feuilles mortes que maman gardait au pied de son lit.

— Maman ? ai-je demandé une fois, tandis qu'elle retournait la cassette. Quand est-ce qu'on rentre à la maison ?

Elle a secoué la tête. Poussé la cassette dans l'appareil. Elle s'est mise à jouer, automatiquement.

Et je m'éloigne de la maison de Freakboy. De retour sur l'accotement, je marche trop vite. Après tout ça, il fait encore noir, ne me demandez pas comment. À peine, remarquez, car le ciel rembobine ses rubans noirs, redevient bleu foncé, juste avant l'aube. Je m'arrête, respire un bon coup, sens mes poumons s'aplatir, se gonfler. Sans que j'y pense, sans que je m'en aperçoive.

J'ai regardé par la fenêtre, si longtemps que j'ai fini par attraper un torticolis. Délicatement, je caressais le bout des points de suture sur mon front, petits fragments serrés qui poussaient vers l'extérieur. Des germes, peut-être. Quelque chose de nouveau. De bon, peut-être. À la tombée de la nuit, maman s'est arrêtée devant un motel pour me laisser descendre. Elle a mis un billet de dix dollars dans ma main, et elle m'a aussi donné mon sac, un article flambant neuf, cadeau des infirmières. Il y avait dedans des choses qui n'étaient pas encore à moi.

— Prends une chambre pour la nuit, a-t-elle dit en se penchant vers le siège du passager. Je vais rentrer plus tard. Tu seras sans doute endormie.

Elle a claqué la portière et est repartie.

Merde. Moi qui n'ai jamais formulé un vœu de ma vie, moi qui n'ai jamais su d'où venaient les vœux. Mais là, tombée sur un bréchet, un os à vœux, à la fin d'un repas pour l'affamée que je suis, j'en fais un.

J'ai laissé les rideaux tirés et allumé une des lampes de chevet. Je me suis agenouillée sur un des deux petits lits. Par endroits, le couvre-lit d'un orange particulièrement criard était croûté. J'ai ouvert le sac. À l'intérieur, il y avait une chemise de nuit rose toute propre et trois petites culottes, une blanche, une rose et une décorée de cerises rouges, tassées dans une petite boîte en plastique transparent. Il y avait aussi une brosse à dents de voyage et un minuscule tube de dentifrice. Quatre livres de poche d'une certaine Enid Blyton. Au fond, un ours en peluche rose aux yeux bleus, qui avait une petite enveloppe carrée nouée autour du cou. Une carte, des fleurs roses et jaunes encadrant un cœur de dentelle. Prompt rétablissement, disait-elle. Je l'ai ouverte.

Je dresse le pouce dans le noir, sans espoir. Et j'ignore comment mon seul et unique vœu est exaucé et un camion klaxonne et s'arrête, pas de remorque derrière, entre deux quarts de travail, futile, il roule sans but, et le type m'ouvre la porte, ne me demande rien et je m'en fous

roule je t'en supplie roule

dans le noir on dirait que nous n'allons nulle part, il fait noir et il n'y a personne sur la route

je distingue à peine l'eau dans le noir elle a un aspect sinistre celui de la peau d'un animal gigantesque, d'une peau dont il veut se débarrasser à force de tendre les épaules, de se frotter contre le vide

il ne me demande pas si je pleure, je pense qu'il s'en fout, merde, je pense que je m'en fous moi aussi

pendant des heures et des heures, des jours et des jours, il fait tourner le volant en silence, prédisant l'avenir, et le jour se lève, une lumière chaude comme de la pisse qui tache tout. Roulons-nous depuis des heures est-il possible que nous ne soyons allés nulle part comme une petite voiture posée sur un tapis roulant avec une toile de fond derrière pour nous faire croire que nous avançons

je n'en peux plus.

Toutes sortes de mots gentils, écrits à l'encre bleu paon. *À une petite fille très brave,* dit l'un. *Meilleurs vœux, garde le sourire.* Et tous ces noms, Lindsey, Trish, Beth, Peter, Gail.

Et après avoir quitté la Gaffe nous nous sommes engagés dans les ruelles en quête d'une dernière goutte pour nos gosiers et de quelque chose de chaud et il y a eu l'appartement de Terry et j'étais à l'intérieur et il était à l'intérieur lui aussi et c'est comme ça que tout a commencé, par hasard. C'est si vrai qu'on se demande comment nous avons pu naître dans des corps différents, si vraiment vrai que j'ai l'impression d'avoir retrouvé une partie de moi que je ne me doutais même pas d'avoir perdue avant de tomber dessus par hasard.

J'ai attendu toute la nuit, appris par cœur les courbes et les boucles de leurs noms, enfilé la culotte décorée de cerises et la chemise de nuit rose et propre, tiré les draps coincés à mort sous le lit, puis je me suis assise pour lire un des Enid Blyton. À la fenêtre, j'ai vu la lumière rose grimper dans les rideaux.

J'ai somnolé entre les draps sales et froids, dans l'éclat du matin, jusqu'à ce que, enfin, on frappe. Fort. Je me suis assise, j'ai repoussé les draps et j'ai couru à la porte. De l'autre côté m'est parvenue une voix aimable, chantante.

— Femme de chambre! a-t-elle pépié avant même que je sois arrivée.

Je ferme les yeux, en moi tout tombe en panne, vous vous souvenez de ces films ceux qu'on nous montrait à l'école où des fruits pourrissent en trente secondes, genre, et les bouchons de circulation se nouent et se dénouent à la faveur d'une petite danse saccadée, vous vous en souvenez, c'est comme ça que je me sens, comme si mes intestins me lâchaient, que tout se détraquait, les nœuds en se dénouant forment des voies de passage rouges.

Je voulais juste savoir ce qui allait arriver ensuite, a-t-il dit.

C'est donc ça, être bien.

Je ferme les yeux

et c'est le matin, et des rayons de soleil inondent la cabine où je suis seule. Le camion est garé devant un petit resto miteux au milieu d'autres camions. De là où je suis, j'aperçois les fenêtres du relais, mais quelle importance. Des dos recouverts de t-shirts ajourés se penchent sur des plats du jour, hachis de corned-beef, pommes de terre réhydratées. Pour rien au monde je ne saurais reconnaître celui qui m'a conduite jusqu'ici. Je pousse la porte, entre. Je salue de la main ceux dont le visage se redresse, au cas où l'un d'eux serait le bon.

J'ai la démarche un peu raide, les pas longs et lents, à cause de mes muscles endoloris. J'enfonce le paquet de Freakboy dans ma botte et il me gratte la cheville. C'est boisé par là et l'air sent les choses qui se transforment en poussière, la sève qui refroidit, les oiseaux et leurs corps. Marcher. C'est tout ce que je fais, pendant un moment.

Elle est arrivée vers midi, s'est laissée tomber sur l'autre lit. J'ai posé le livre d'Enid Blyton (le troisième) et je suis allée vers elle.

— Maman?

Elle a marmonné quelque chose, bouffées tièdes et mouillées, puantes, les mots s'emboîtant les uns dans les autres.

J'ai songé à tirer une couverture sur elle, puis je me suis dit bof.

Je passe chez lui. Pas de réponse. Il n'y a personne.

Je me suis dit que c'est ce que j'allais faire, exactement comme elle. Pour voir ce qu'elle en penserait.

Et donc je pars, je m'éloigne. Une rue, puis une autre, je tourne le coin et je n'arrive même pas à y croire, merde.

Tout compte fait, ce n'était peut-être pas l'idée du siècle. Il y a peut-être autre chose, une autre solution.

Je m'approche furtivement, c'est plus fort que moi. Il est sur le toit de ma voiture. Incroyable. Il a les yeux fermés, le soleil darde sur lui ses rayons durs, en ligne droite. Sous le soleil, il est allongé à la manière d'un clochard. Je m'approche de son oreille brûlante. Je murmure :
— Bou.

À l'intérieur.
J'ai soulevé avec soin le ruban jauni. Tout s'est déplié d'un coup à cause de la colle qui ne tenait plus. Le paquet s'est ouvert comme une fleur qui éclôt.

— C'est…

J'ai regardé Freakboy, en plein dans ses yeux larmoyants.

— T'as ça depuis quand ?

Il a secoué la tête.

Une amulette en améthyste de la taille d'un œil de vache, fendue en deux. Un côté plat. Et des lettres. Beaucoup de lettres. Écrites sur du papier ministre, du papier de riz, du papier d'emballage, du papier transparent et sec rappelant le crêpe, du papier journal. Délicatement, je les ai détachées l'une de l'autre. Je les tenais par les coins. Certaines étaient presque illisibles. Parfois, c'était des pattes de mouche serrées serrées, parfois des gribouillages obliques. Par moments, l'écriture était presque méconnaissable. Enfin presque.

— Des lettres de maman ? ai-je dit d'une voix à peine audible.

Freakboy s'est levé avec difficulté et m'a cédé sa chaise. Je me suis assise, imaginez.

— Quand ? Comment ? Pourquoi c'est toi qui les as ?

Ses yeux se sont baissés. Par terre.

— Je suis désolé d'avoir mis tant de temps à… Elle voulait que je te les donne il y a des années… mais j'ai perdu ta trace. Pendant longtemps, en fait.

Il m'a souri.

— Ça, on peut dire que tu as été habile.

Les lettres reposaient sur mes genoux, légères comme des plumes. Je me suis souvenue qu'il fallait respirer. Je l'ai fait.

— Quand je t'ai enfin retrouvée… eh bien… je me suis rendu compte qu'Henry n'était pas exactement… un modèle d'équilibre… et je…

J'ai fermé les yeux.

— Je ne voulais pas qu'il te fasse du mal, Cassy. Je l'ai déjà dit et…

— Tu voulais vraiment me protéger.

Les mots ont glissé lentement entre mes lèvres, comme un souffle. Je n'ai rien dit pendant un moment.

— Pourquoi maintenant ? Qu'est-ce qui a changé ?

Freakboy m'a regardée comme s'il avait affaire à une vieille tante un peu cinglée.

— Cassy… Il est mort, ma chère.

Terry tressaille, se retourne sur la tôle brûlante. Il secoue la tête.

— Qu'est-ce que… Merde ! Cassy !

En respirant de nouveau, j'ai eu l'impression d'avoir deux poumons flambant neufs, de la bonne taille et fonctionnels par-dessus le marché. Je me suis mise à rire, à secouer la tête.

— J'ai jamais pensé que je dirais ça, mais… merci.

Il m'embrasse et je n'ai rien à lui expliquer. Ça va.

Freakboy a hoché la tête.

— Je ne suis pas sûr de le mériter, mais. De rien. Vraiment.

Pendant environ une minute, il ne s'est rien passé. J'ai regardé les lignes qu'elle avait tracées sur ces pages. Je ne les ai même pas lues. Je me suis contentée de les observer, de très loin. Freakboy s'est raclé la gorge.

— Bon! s'est-il écrié en s'efforçant à la gaieté. Je crève de faim, moi. En général, je prends une bouchée à peu près à cette heure-ci. Ça te dit?

J'ai secoué la tête, ramenée à la réalité. Cette pièce. Ces murs. Ce type.

— Non, merci.

Je me suis frotté le crâne, y ai fait le ménage, en quelque sorte.

— Au fait, pourquoi es-tu encore debout à cette heure-là? Il doit être… euh… merde… je sais pas, tard, non?

Un petit sourire insolent a troué son vieux visage empâté, et il a roulé les yeux.

— Doux Jésus. Voilà des années que je vis selon ton horaire. Alors une nuit de plus ou de moins…

Il s'est éloigné dans le couloir de sa curieuse démarche traînante, sans doute imputable à la fatigue. Encore un détail qui m'avait échappé.

Il m'a laissée seule en compagnie de maman. J'ai remis les feuilles dans leur emballage. Il y a certaines choses qu'il vaut mieux faire seule. J'ai glissé le paquet dans ma botte, faute de mieux, et j'ai suivi la trace de Freakboy.

La cuisine, heureusement, était dépourvue de photos de moi.

— Restons ici, ai-je dit en entrant.

Il s'affairait, accaparé par des gousses d'ail et un four grille-pain.

— Dis donc, lui ai-je demandé sous l'emprise d'une bribe de souvenir, pourquoi t'es venu me terroriser au bar sans rien dire? Pourquoi tu m'as pas tout raconté?

Freakboy a gloussé. Je ne crois pas avoir jamais entendu quelqu'un glousser, mais c'est ce qu'il a fait, lui.

— J'avais l'intention de te prendre à part, mais… il y avait cet affreux bonhomme, Eddy, je crois. J'avais beau lui graisser la patte, il refusait de me laisser seul avec toi. À ton arrivée, je cédais à la panique et…

Il a dû s'interrompre à cause du rire violent qui lui secouait les mains.

— Le coup de la sirène… C'est tout ce que j'ai trouvé, là, sur le coup. L'improvisation n'est pas mon fort, je te le concède volontiers.

Alors j'ai souri. J'ai même ri un peu. Je me suis assise sur le comptoir. Dans la pièce, en effet, il n'y avait pas un seul meuble.

— Une dernière chose… POURQUOI est-ce que la porte de devant est collée par la peinture?

— Terry… Excuse-moi pour avant, pour tout. Je…

Il me serre contre lui, le menton sur ma tête. Me flatte le dos.

— Ça va.

Je me mets à rire.

— Non, ça va pas.

Il rit à son tour.

— Ouais, t'as raison. Alors, qu'est-ce qu'on fait?

Je prends une profonde inspiration.

Freakboy a posé le rouleau de papier d'aluminium, a laissé échapper un drôle de bruit étranglé, crachotant.

— Ah! ça… Je ne suis pas en très bonne santé, Cassy. Il m'arrive de… perdre un peu la boule…

Il a tendu ses mains et les a regardées trembler.

Je n'ai rien dit pendant un moment, et lui non plus. Puis il a remis ses mains au travail. Occupées, elles avaient l'air plus heureuses. Elles ne tremblaient plus du tout.

— Écoute…

Les mots ont surgi d'un seul tenant, agglutinés les uns aux autres, sans que j'y pense.

— … peut-être qu'on pourrait… passer un moment ensemble. Manger quelques… tranches de pain?

Il les empilait sur une assiette. C'était des biscottes minuscules, qu'on aurait dit préparées pour des poupées.

— C'est français, a-t-il expliqué en rigolant.

Il a formé un cercle parfait en hochant la tête sans me regarder.

— J'aimerais ça, Cassy. Tu pourrais peut-être me parler des périodes au cours desquelles je t'ai perdue de vue. D'accord ?

— Euh… ouais… d'accord.

C'était, m'a-t-il semblé, la moindre des choses. À supposer que j'en sois capable.

— Et peut-être après… Si tu voulais bien… Je sais rien de toi… Peut-être que tu pourrais me fournir quelques détails…

Il a fait oui de la tête en l'inclinant légèrement d'un côté.

— Peut-être. Mais là, tout de suite…

Il m'a tendu l'assiette en souriant largement.

— C'est délicieux avec de l'ail rôti. Et je pense qu'il me reste un peu de pâté…

— Il faut que je te dise quelque chose, Terry, et je sais pas comment tu vas réagir et je sais pas non plus comment moi je vais réagir parce que j'ai jamais su si c'était vrai ou pas mais là je sais. J'ai reçu un tas de lettres de maman et je vais t'en parler plus tard mais là il faut que je te raconte autre chose. Et je sais maintenant que j'ai pas tout inventé, que je me suis souvenue et j'en ai jamais parlé à personne, sauf à Ramone, je vais te parler de lui plus tard, s'il y a un plus tard, mais là il faut que je te raconte vu que je sais et je sais pas si je devrais…

Et il m'a gardée dans ses bras tout au long. Et il a hoché là tête.

Depuis des heures la pluie tombait froide et violente. Moi et Pony étions enfermées à la maison comme des bêtes sauvages, une cage dans la nuit. Maman était sortie dans l'espoir de se payer du bon temps. Quand Sharon, la serveuse de jour, nous a déposées, j'ai verrouillé la porte. J'ai allumé deux chandelles, puis j'ai mis quelques disques sur le vieux tourne-disque de maman. C'était dans la plupart des cas des déchets, des trucs qu'elle avait trouvés en cherchant des trésors parmi les détritus de la vallée, des chefs-d'œuvre. Je n'ai jamais compris pourquoi quelqu'un avait voulu s'en débarrasser. Moi et Pony nous avons passé un moment à ne rien foutre dans nos têtes, à faire les folles et à nous faire rire, puis la pluie a cessé tout d'un coup, un peu avant l'aube, quand tout est encore noir et qu'on voit quelque chose remonter des confins du monde, là où il y a des monstres marins qui attendent leur heure. Et elle m'a regardée comme quand elle avait envie de voir le matin.

— D'accord, mais mets un chandail. Il fait encore froid dehors.

Elle a secoué la tête, refusé de couvrir son t-shirt préféré, le bleu, celui qui n'avait pas été porté par une autre avant elle. Un des types de maman nous en avait offert un chacune. Ils étaient de la même teinte de turquoise pâle. Devant, il y avait des lettres dorées et brillantes. Le sien disait *SUPER* et le mien *STAR*. J'ai fini par la convaincre de porter mon sweat-shirt à glissière rose et mon imper rouge vif. Pas moyen de lui arracher une autre concession. J'ai ri quand elle a enfilé ses bottes de caoutchouc bleues parce qu'elle ressemblait à l'ours Paddington, en un peu plus enveloppée. Elle a ri et m'a poussée vers la porte.

Dehors. J'ai hissé Pony sur le toit en pente de l'appentis, puis j'ai grimpé derrière elle. Là, je l'ai soulevée et, de peine et de misère, je suis à mon tour montée sur le toit de l'étable. Là, nous nous sommes dirigées vers le meilleur endroit, près du sommet. Il y avait un trou par lequel nous apercevions notre chambre. C'est ce que nous avons fait pendant un moment en laissant tomber sur le lit toutes les cochonneries que nous trouvions, ne me demandez pas pourquoi. Puis nous sommes restées là assises, à regarder le jour apparaître, tout beau et paisible, les vieux nuages gris et épuisés se dissiper. On aurait dit qu'ils étaient balayés, qu'ils laissaient derrière eux un ciel vide et glorieux. Dans la lumière du jour, les choses prenaient des couleurs, avaient l'air, je ne sais pas, heureuses. Comme si, sous un ciel pareil, rien de mal ne pouvait arriver. Du doigt, Pony a montré une étoile qui s'estompait dans la lumière et je lui ai raconté une histoire inventée de toutes pièces à propos du nom de cette étoile et de ce qu'il signifiait et elle a ri et m'en a montré une autre et encore une autre jusqu'à ce que nous nous lassions de ce jeu, et nous sommes restées là à observer la lumière et à nous sentir vaguement idiotes. Elle voulait une histoire, alors je lui en ai raconté une, une aventure interminable à propos de deux filles brillantes, fortes et drôles parties à la conquête du monde, suite d'une histoire plus longue encore que j'avais entreprise des années auparavant. Pour les jours où nous avions envie d'autre chose que la réalité. Puis il y a eu des craquements, comme si la bâtisse tremblait. C'était fréquent, nous avions l'habitude. D'une certaine façon, c'était même rassurant, la plupart du temps, comme quand le vent entre par une fenêtre ouverte, mais là les bruits étaient plus forts qu'à l'accoutumée et l'étable s'est mise à chanceler. Pendant un instant, j'ai tendu l'oreille, éprouvé les oscillations de l'immeuble.

— Je pense qu'il vaut mieux descendre, la puce, d'accord? On va rentrer, ai-je dit en lui prenant la main.

Elle l'a retirée, puis elle m'a souri en secouant la tête. Une autre histoire, elle voulait une autre histoire. Le tremblement s'est accentué. Une sorte de grondement venu du sol, là où les planches s'enfonçaient dans la terre, loin en bas. Près de nous, deux ou trois planches pourries se sont détachées et sont tombées. Je les ai vues dégringoler en spirale, heurter le sol. Nous avions l'impression d'être haut perchées, d'être beaucoup plus haut que nous l'aurions cru en grimpant.

— Il faut descendre tout de suite, Pony. Ça va pas.

Elle a secoué la tête, l'air ravie. Toute la bâtisse était secouée. Comme si elle était malade et qu'elle toussait. L'appentis s'est effondré, libérant un pet moisi dans le ciel matinal bleu foncé, bordé d'or.

— Il faut qu'on saute, la puce, d'accord? Si on

saute, je te raconterai une histoire. En bas, je te raconterai une histoire, d'accord? On peut plus rester ici.

J'ai repris sa main, mais, butée, elle s'est mise à
rire. Des entrailles de l'étable est monté un cri, celui,
aurait-on dit, de beaucoup beaucoup de vaches poussant un meuglement bas, profond.

— C'est pas drôle, Pony, arrête. Il faut sauter, tu
comprends?

Elle a secoué la tête. L'étable tout entière vacillait,
et les planches pourries se gauchissaient sous l'effet des
forces qui se déchaînaient en bas, jusqu'à ce que l'autre
moitié du toit s'écroule. De l'endroit où j'étais, je n'ai
rien vu, mais j'ai entendu un gémissement, un vieux
vieux gémissement, un vieux vieux son pareil à celui
d'os qui se cassent, et Pony riait comme une folle, ses
petites épaules tremblaient, des larmes jaillissaient de
ses yeux et son rire sonnait la panique. Elle m'a regardée et elle a crié. Et tout a foutu le camp, la maudite
étable s'est dérobée sous nos pieds, presque trop vite
pour que j'aie le temps de réagir, presque trop vite pour
que j'aie le temps de faire quoi que ce soit, mais.

J'ai fait quelque chose.

J'ai poussé Pony.

À Lyle.

Merci à Paul, Elaine, Natasha, Kim, Nika et Nathanael Merrick et aussi à Leah Cheyne, Erin Churchill, Angela Eipper, Taras Grescoe, Meghan Hicks, Melora Koepke, Julie Lafford, Terry Lalos, Jacinda Marney-Oldale, Siobahn McCann, Jason Nelsons, Ryan Osgoode, Alex Perez, Emily Smith et Katia Taylor. Merci à mes habitués de même qu'à Carlos, Albino, Marie-Claude, Jay, Neil et Robyn. Merci en particulier à Betty, Bud et Ba-Ba.

Merci à mes traducteurs, Paul Gagné et Lori Saint-Martin, à Marisol Mantel et, en particulier, à Thom Richardson.

Enfin et surtout, merci beaucoup à Andy Brown et Jon Paul Fiorentino.

MISE EN PAGES ET TYPOGRAPHIE :
LES ÉDITIONS DU BORÉAL

ACHEVÉ D'IMPRIMER EN MARS 2007
SUR LES PRESSES DE MARQUIS IMPRIMEUR
À CAP-SAINT-IGNACE (QUÉBEC).